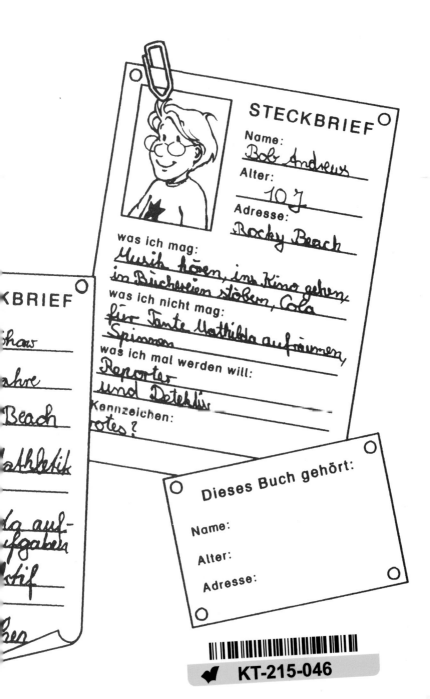

STECKBRIEF

Name:
Bob Andrews

Alter:
10 J

Adresse:
Rocky Beach

was ich mag:
Musik hören, ins Kino gehen,
in Büchereien stöbern, Cola

was ich nicht mag:
für Tante Mathilda aufräumen,
Spinnen

was ich mal werden will:
Reporter
und Detektiv

Kennzeichen:
rotes ?

KBRIEF

haw

ahre

Beach

athletik

lg auf-
gaben

tif

hen

Dieses Buch gehört:

Name:

Alter:

Adresse:

KT-215-046

Die drei ???® Kids
Band 11

Fluch des Goldes

Erzählt von Ulf Blanck

Mit Illustrationen von Stefanie Wegner

KOSMOS

Umschlag- und Innenillustrationen von Stefanie Wegner, Soltau.

Informationen senden wir Ihnen gerne zu

Bücher · Kalender · Experimentierkästen · Kinder- und Erwachsenenspiele
Natur · Garten · Essen & Trinken · Astronomie
Hunde & Heimtiere · Pferde & Reiten · Tauchen · Angeln & Jagd
Golf · Eisenbahn & Nutzfahrzeuge · Kinderbücher

KOSMOS Postfach 10 60 11
D-70049 Stuttgart
TELEFON +49 (0)711-2191-0
FAX +49 (0)711-2191-422
WEB www.kosmos.de
E-MAIL info@kosmos.de

»Fluch des Goldes« ist der 11. Band der Reihe
»Die drei ???® Kids«.

Dieses Buch folgt den Regeln der neuen Rechtschreibung.

Bibliografische Information der Deutschen Bibliothek
Die Deutsche Bibliothek verzeichnet diese Publikation in der
Deutschen Nationalbibliografie; detaillierte bibliografische Daten
sind im Internet über http://dnb.ddb.de abrufbar.

© 2001, Franckh-Kosmos Verlags-GmbH & Co. KG, Stuttgart
Alle Rechte vorbehalten
ISBN-13: 978-3-440-08908-8
ISBN-10:   3-440-08908-8
Redaktion: Silke Arnold
Grundlayout: Friedhelm Steinen-Broo, eStudio Calamar
Printed in the Czech Republic / Imprimé en République tchèque

Die drei ???® Kids
»Fluch des Goldes«

Millionen

Justus Jonas lehnte sich zurück und wischte seinen Marmeladenmund am Ärmel ab.

»Muss das sein?«, schimpfte Tante Mathilda. »Erst mach ich euch allen Frühstück und dann darf ich anschließend Essensreste aus den Hemden waschen. Wofür habe ich denn Servietten hingelegt?« Peter und Bob nahmen vor Schreck jeder schnell eine.

»Ihr braucht gar nicht so zu tun. Ihr beiden seid kein bisschen besser als Justus«, lächelte Tante Mathilda.

Die drei ??? saßen schon den ganzen Morgen im Schatten auf der Veranda. Sie hatten sich hier verabredet, um später mit Onkel Titus in die Stadt zu fahren.

»Wobei sollen wir dir eigentlich helfen?«, fragte Justus und trank den letzten Schluck Orangensaft. Onkel Titus blickte von seiner Zeitung auf. »Ich habe einen Auftrag direkt vom Bürgermeister. Die

Stadt will, dass die alte Rathausuhr ausgewechselt wird. Das klapprige Uhrwerk macht wohl immer wieder Probleme. Jetzt kommt eine vollelektronische quarzgesteuerte Uhr an die gleiche Stelle.« Tante Mathilda war empört. »Schlimm ist das. Die Rathausuhr kenne ich noch aus meiner Kindheit. Alles, was nicht mehr richtig funktioniert, wird sofort weggeworfen. Wenn das so weiter geht, Titus, dann sind wir auch bald an der Reihe. Und überhaupt, wieso hast du denn gerade den Auftrag bekommen?«

»Ich soll nur die alte Uhr abbauen und entsorgen. Die kommt aber natürlich zu meinen Schrottspezialitäten in den Schuppen. Wäre gelacht, wenn ich den alten Wecker nicht wieder auf Vordermann bringen würde. Was denkst du, Mathilda, sollen wir die Uhr anschließend an unserem Dachgiebel festschrauben?« Onkel Titus strahlte bei dem Gedanken.

»Untersteh dich! Der ganze Schrottplatz ist schon voll mit deinen ›Spezialitäten‹. Wird Zeit, dass du mal etwas davon verkaufst, anstatt jeden Tag neuen Müll anzuschleppen!«

»Das ist kein Müll, das sind alles Wertstoffe. Irgendwann werden die Bodenschätze der Erde aufgebraucht sein. Dann sollst du mal sehen, wie die meinen sogenannten ›Schrottplatz‹ leer kaufen.«

Trotzig nahm er die Tageszeitung und hielt sie dicht vor sein Gesicht. Ein leichter Luftzug wehte unter der Veranda hindurch. Plötzlich sprang Onkel Titus auf und riss dabei den Tisch mit hoch. Teller klirrten zu Boden und halbvolle Gläser mit Orangensaft ergossen sich über die Tischdecke.

»Ahhhhhhh...« das war das Einzige, was er herausbrachte. Mit riesigen Sätzen sprang Onkel Titus auf dem Schrottplatzgelände umher. Immer wieder schlug er mit der Zeitung auf die Knie und sein hochroter Kopf schien fast zu platzen.

Tante Mathilda starrte ihn fassungslos an. Atemlos kam ihr Mann zurück, zog einen kleinen Zettel aus seinem Portmonee und fiel ihr erschöpft in die Arme.

»Titus, was ist passiert? Hat dich eine Hornisse gestochen?« Endlich kam er zur Ruhe. Mit zittrigen Händen legte er den unscheinbaren Zettel auf den Tisch. »Wisst ihr, was das ist?« Alle schüttelten den Kopf. »Das hier vor mir ist ein Haufen Geld.«

»Dein Onkel ist verrückt geworden«, flüsterte Peter Shaw Justus ins Ohr.

»Ein Berg an Dollars. Mathilda bekommt eine neue Küche, ich kaufe mir eine Schrottpresse und Justus wird später auf die Universität geschickt.« Tante Mathilda packte ihren Mann an der Schulter. »Nun sag schon, Titus! Was ist das da auf dem Tisch — oder hast du etwa einen Sonnenstich?«

Onkel Titus ließ sich viel Zeit mit seiner Antwort. Dann trocknete er mit einem Taschentuch seine schweißnasse Stirn. »Also, dies hier ist ein Lotterielos. Und auf diesem Los steht eine achtstellige Zahl.« Er machte eine lange Pause. Keiner wagte zu atmen. »Wie ihr weiter erkennen könnt, ist dies in meiner Hand eine Zeitung. Und wie es sich für eine gute Zeitung gehört, werden dort die Losnummern der Gewinner bekannt gegeben.«

»Du hast in der Lotterie gewonnen?«, schrie Justus dazwischen.

Onkel Titus riss die Arme hoch. »Und wie ich gewonnen habe. Eine Million Dollar.«

11

Seifenblasen

»Eine Million Dollar?«, wiederholte Tante Mathilda fassungslos. Justus Jonas stand der Mund offen. Ungläubig griff er nach dem Lotterielos. Doch in diesem Moment fegte ein heftiger Luftzug den kleinen Zettel vom Tisch.

»Festhalten!«, brüllte Onkel Titus — aber es war zu spät. Wie ein Blatt im Wind flatterte das Papier über den Schrottplatz. Peter sprang als Erster auf und jagte dem Los hinterher. Bob und Justus folgten ihm. Ein paar Mal hätte Peter den Zettel greifen können, doch immer wieder trug ihn ein Windstoß im letzten Moment fort. Es schien, als ob das Lotterielos sie ärgern wollte. Kreuz und quer wirbelte es über das Gelände.

Onkel Titus war verzweifelt. »Das darf doch nicht wahr sein. Da fliegt gerade eine Million Dollar vor meiner Nase in die Luft.« Plötzlich kam Bob Andrews mit einem Gartenschlauch in der Hand angelaufen. »Platz da! Ich hol die Kohle vom Himmel.«

Peter sah ihn verständnislos an. »Bist du verrückt geworden?«, keuchte er. Doch Bob war nicht zu bremsen. Er drehte das Ventil auf und richtete den Schlauch in den Himmel. »Wasser marsch!«, rief er wie ein Feuerwehrmann. Ein scharfer Strahl schoss in die Höhe und verteilte sich in der Luft wie ein Sommerregen. Einige Tropfen trafen das Lotterielos und drückten das nasse Blatt zu Boden. »Volltreffer!«, triumphierte Bob. Behutsam wurde das Millionenlos wieder zurück auf den Tisch gelegt.

Onkel Titus war glücklich. »1345457892. Die Losnummer hat sich in meinem Kopf eingeprägt. Als hätte ich gewusst, dass ich damit gewinnen würde.« Andächtig starrten alle auf den kleinen Zettel.

»Eine Million Dollar«, flüsterte Tante Mathilda ergriffen.

Währenddessen fiel Justus' Blick auf die Tageszeitung. Die Gewinnnummer stand groß über einem Foto mit gestapelten Goldbarren geschrieben. »Hier steht aber 1345457982.«

Hastig verglichen alle die Losnummern. Onkel Titus' Gesichtsfarbe wechselte von knallrot auf schneeweiß. »Oh, nein! Das gibt es nicht. Ich habe zwei Ziffern verdreht. Das Los ist wertlos wie ein Stück Klopapier.«

Der Traum von der Million zerplatzte wie eine Seifenblase. Minutenlang war es still.

Tante Mathilda fand zuerst die Worte wieder. Zögernd stand sie auf und räumte die Teller zusammen. »Millionen fallen eben nicht einfach so vom Himmel.«

Onkel Titus zerriss enttäuscht das Los. »Ich hätte es aber gern einmal selbst ausprobiert. Was soll's, dann muss ich unser Geld wieder mit ehrlicher Arbeit verdienen. Jungs, auf uns wartet eine Rathausuhr!«

Sie zwängten sich zu viert auf den Vordersitz des alten Pick-ups und fuhren nach Rocky Beach.

»Kommt nicht zu spät zum Mittagessen!«, rief ihnen Tante Mathilda hinterher.

In der Stadt herrschte ein reges Treiben. Der Springbrunnen auf dem Marktplatz plätscherte fröhlich vor sich hin und die alte Uhr am Rathaus stand seit Tagen auf genau zwölf. »In Rocky Beach steht anscheinend die Zeit still«, lachte Onkel Titus. »Bevor ich zum Bürgermeister gehe, muss ich schnell ein paar Besorgungen bei Porter für Tante Mathilda machen.«

Als sie aus dem Wagen stiegen, zeigte ihm Justus sein leeres Portmonee. »Kannst du uns nicht einen kleinen Vorschuss geben?« Die drei ??? sollten jeder fünf Dollar für ihre Hilfe erhalten. Onkel Titus schüttelte den Kopf. »Tut mir leid. Ich bekomme auch keinen Vorschuss. Erst die Arbeit, dann der Lohn.«

Vor Porters Geschäft hatte jemand einen grauen Maulesel neben den Fahrrädern festgebunden. Er war bepackt mit schweren Satteltaschen. Zwischen dem Gepäck steckte eine große Axt. Durstig trank das Tier aus einem Wassereimer.

Porter stand wie immer hinter dem Tresen und freute sich über jeden Kunden, der seinen kleinen Laden betrat. »Guten Morgen, Mister Jonas«, begrüßte er sie. »Sie haben ja gleich einen ganzen Kindergarten mitgebracht. Ich hoffe, die sollen helfen, die vielen Einkaufstüten zu tragen.« Dabei musste er so laut lachen, dass ihm der dicke Bleistift hinter seinem Ohr herausrutschte. Die drei ??? fanden das überhaupt nicht lustig.

Onkel Titus zog den Einkaufszettel von Tante Mathilda heraus und suchte die Ware zusammen. Für die Zeit war das Geschäft ungewöhnlich voll. An der Kasse bildete sich sogar ein kleine Schlange.

»Nur die Ruhe! Einer nach dem anderen — jeder wird bei mir das Geld los«, grinste Porter.

Ein alter Mann mit Vollbart legte seinen Einkaufskorb auf den Tresen. Er trug einen zerlöcherten langen Mantel und einen verbeulten Cowboyhut. Bei jeder Bewegung staubte es um ihn herum.

»Dem gehört garantiert der Esel vor der Tür«, flüsterte Justus. Gut gelaunt tippte Porter auf der Registrierkasse die Preise ein. »Das macht genau zwanzig Dollar und fünfundachtzig Cents.«

Nervös zog der Mann mit dem Hut einen dreckigen Lederbeutel aus dem Mantel. Dann holte er vorsichtig ein kleines Steinchen heraus, spuckte drauf und rieb es an seinem Ärmel blank.

»Sorry, Mister, kann ich auch hiermit zahlen? Ich habe im Moment nichts anderes.«

Das Steinchen auf dem Tresen schimmerte etwas und der Glanz schien sich in Porters Augen wieder zuspiegeln. Mit weit geöffnetem Mund hauchte er ein einziges Wort: »Gold...«

Goldrausch

So leise er das Wort auch aussprach — jeder im Geschäft hatte es gehört. Magisch angezogen kamen alle zum Tresen und betrachteten das wundersame Steinchen.

»Wo haben Sie das her?«, fragte Porter, ohne aufzublicken. Der bärtige Mann schien verwirrt. »Reicht es nicht? Tut mir leid, ich habe noch mehr davon. Entschuldigen Sie.«

Porter schüttelte den Kopf. »Nein, nein, das ist mehr als genug. Ich will nur wissen, wo Sie den Brocken gefunden haben.«

Erleichtert wischte sich der Mann den Schweiß aus dem Gesicht. »Ach so... Das habe ich oben in den Bergen gefunden. Ich bin Holzfäller, wissen Sie. Mein Name ist Josh McBrian. Die meisten nennen mich aber einfach Digger.«

Ungeduldig packte ihn Porter an den Schultern. »Das können Sie uns später erzählen. Wo genau haben Sie den Goldnugget entdeckt?«

»Oben, in den Magic Mountains. Ich habe am Ufer des Rocky River eine Feuerstelle eingerichtet. Und als ich so ein paar Felsbrocken zusammenscharrte, funkelten mir die Steinchen entgegen.«

Jetzt wurde der alte Mann mit Fragen gelöchert. »Ist da oben noch mehr?«, wollte Onkel Titus wissen.

McBrian zuckte mit den Schultern. »Keine Ahnung. Ich gehe heute noch zurück. Mein Vorräte waren alle, doch jetzt habe ich erst mal wieder genug.« In seinem Einkaufskorb stapelten sich fast ausschließlich Dosen mit Bohnen.

Porter holte eine Landkarte und faltete sie auf dem Tresen auseinander. »Zeigen Sie uns die Stelle!« Der Holzfäller zog eine verdreckte Brille aus der Manteltasche und schob sie auf seine Nase. Eins der Gläser war zersprungen und das andere fehlte ganz. »Warten Sie... es geht eine ganze Weile flussaufwärts. Zwei Tagesmärsche mindestens. Hier oben macht der Rocky River eine Biegung. Ungefähr an der Stelle habe ich das Gold

20

gefunden. Aber ob da noch mehr rumliegt, kann ich nicht sagen.«

McBrian brauchte auch nicht mehr zu sagen. Schlagartig war der Laden leer.

Die Meldung, dass in den Bergen Gold gefunden wurde, verbreitete sich wie ein Lauffeuer. Porter schloss die Tür ab und hängte ein Pappschild ins Schaufenster: ›Bis auf Weiteres geschlossen‹ konnte man darauf lesen.

Auf dem Marktplatz standen die Menschen in kleinen Gruppen und redeten ununterbrochen von den Goldfunden. Die ersten Jeeps und Pick-ups machten sich auf den Weg in die Berge. Vollbesetzt mit goldgierigen Männern rasten sie durch die Stadt. Auf den offenen Ladeflächen klapperten Spaten, Schaufeln und Spitzhacken.

McBrian verstaute in aller Ruhe die Bohnendosen in den Satteltaschen und gab dem Esel eine Möhre zum Futtern.

»Warum haben Sie allen die Stelle mit dem Gold gezeigt?«, fragte ihn Justus. Der alte Holzfäller gab seinem Esel einen Klaps aufs Hinterteil. »Ach was, wenn da tatsächlich noch mehr Gold rumliegt, dann ist genug für alle da.«

Mit diesen Worten verschwand er samt seinem vollbepackten Esel in Richtung Osten.

»Was ist jetzt mit der Rathausuhr? Müssen wir nicht zum Bürgermeister?«, wollte Peter wissen. Onkel Titus deutete auf ein Motorrad, das mit Hochgeschwindigkeit die Straße entlang jagte.

Der Mann hinter dem Lenkrad hatte eine Schaufel
auf seinem Rücken fest geschnallt.

»Das ist der Bürgermeister. Ich denke, der hat
heute etwas anderes vor.«

Justus Jonas schüttelte den Kopf. »Die sind doch
alle verrückt geworden. Jemand findet einen Krümel Gold und die ganze Stadt dreht durch. Kein
Mensch weiß, ob da oben noch mehr zu holen ist.«

»Genau! Und es gibt nur eine Möglichkeit es
herauszufinden«, lachte sein Onkel.

Wenig später saßen sie alle im Pick-up und fuhren den anderen Autos hinterher. Unterwegs erzählte Onkel Titus von der Zeit des großen Goldrausches in Kalifornien. »1848 wurde in Sacramento Gold entdeckt. Nicht so kleine Nuggets wie eben, nein, das waren richtige Klumpen. Der Größte wog über 87 Kilo. Hunderttausende Menschen kamen aus allen Kontinenten der Welt. Selbst aus China. Die Nachricht vom Gold verbreitete sich auch ohne Internet. Mit bloßen Händen wurde die Erde durchwühlt. Zehn Jahre später war alles vorbei. Für über 350 Millionen Dollar wurde Gold gefördert, doch nur wenige sind dabei reich geworden.«

Nach einer knappen Stunde erreichten sie die ersten Ausläufer der Magic Mountains. Die Straße wurde holperiger und Justus spürte seinen leeren Magen. Zu Hause wartete Tante Mathilda mit dem Mittagessen. Immer steiler ging es bergauf. An einer engen Kurve stand ein Motorrad mit qualmendem Motor.

Onkel Titus hielt an und kurbelte die Scheibe

herunter. »Hallo, Bürgermeister. Hat der alte Ofen schlapp gemacht? Ich kann Sie leider nicht mitnehmen, wir sind bis auf den letzten Platz ausgebucht.« Mürrisch brummte der Bürgermeister etwas Unverständliches zurück und trat wütend gegen das Hinterrad.

»Pech gehabt«, grinste Onkel Titus.

Nach ungefähr fünf Kilometern waren sie endlich am Ziel. Die Straße wurde von einer schweren Holzschranke versperrt. ›Stopp! Privatbesitz!‹ stand auf einem Schild. Kreuz und quer parkten schon die anderen Wagen am Wegesrand. Auf der rechten Seite führte ein steiniger Weg die Böschung hinunter. Eilig hasteten Männer mit Schaufeln und Hacken durch das Gestrüpp.

»Hier müsste die Stelle sein, die uns Digger beschrieben hat«, vermutete Bob. Sie folgten den anderen Männern. Schon nach wenigen Metern blickten sie auf den Rocky River. Onkel Titus kniff die Augen zusammen. »Da liegen die Millionen. Ich kann das Gold fast schon riechen.«

Gold! Gold! Gold!

Der Fluss schlängelte sich durch das ausgewaschene Kiesbett. Über kleine Stromschnellen sprudelte unermüdlich das kristallklare Wasser aus den Bergen ins Tal. Die ersten Goldsucher schaufelten am Ufer Kies und Sand zu kleinen Haufen zusammen.

Onkel Titus zeigte auf einige Männer, die direkt im Wasser standen. »Die haben Pfannen zum Goldwaschen mitgebracht. Schade, hätten wir jetzt auch gut gebrauchen können. Man schmeißt ein paar Hände voll Sand in die Pfanne, taucht sie leicht unter und lässt das Ganze langsam kreisen. Der leichte Sand wird fort gespült, die schweren Goldnuggets bleiben am Boden liegen. Zu dumm, wir hätten daran denken müssen.«

In diesem Moment schrie einer der Männer laut auf. »Gold! Gold! Ich habe Gold gefunden.« In den Händen hielt er ein kleines funkelndes Körnchen. Jetzt gab es kein Halten mehr. Alles was Beine hatte rannte auf ihn zu und sprang in das kalte Wasser. Onkel Titus war der Erste. »Platz da! Lasst mich an das Gold!« Mit bloßen Händen durchwühlte er wie besessen den Flussgrund.

Justus tippte sich an die Stirn. »Ich glaube, Gold geht direkt auf's Gehirn«, flüsterte er seinen beiden Freunden zu.

Nach einer Weile kam Onkel Titus erschöpft aus dem Wasser zurück. »Es ist chancenlos. Ohne Waschpfanne ist da nichts zu machen.«

Plötzlich klatschte Bob aufgeregt in die Hände. »Ich weiß, was wir nehmen. Mit den Radkappen vom Pick-up müsste man genau so gut Gold waschen können. Onkel Titus war begeistert. Blitzschnell rannten sie zum Wagen zurück und montierten die Radkappen von den Reifen.

»Jetzt geht's los«, strahlte Bob. »Vielleicht kommen wir heute doch noch zu einer Million Dollar.«

Sie suchten eine seichte Stelle am Ufer und füllten die Radkappen mit Sand und Kies.

»Vom ersten Gold kaufen wir uns Giovannis Eis-café«, lachte Peter.

Es war, wie Onkel Titus zuvor erklärt hatte. Der Sand schwappte über den Rand der Radkappe und bald lagen nur noch kleinere Steinchen am Boden.

»Wie Gold sieht das aber nicht aus«, bemerkte Justus trocken.

»Nur Geduld. Du wirst gleich sehen, was wir hier finden werden!«, rief Onkel Titus und füllte eifrig seine Waschpfanne. Er sollte Recht behalten, denn

wenige Minuten später schimmerte ein kleiner goldener Krümel in Peters Radkappe. Andächtig betrachteten sie ihren Fund.

»Fantastisch. Ich wette, der ganze Berg besteht aus purem Gold.« Onkel Titus' Augen leuchteten.

»Wie viel ist das denn wert?«, fragte Justus.

»Na ja, vielleicht ein paar Cents — es ist ja nicht viel größer als ein Sandkorn. Aber wo einer ist, sind auch mehrere. Und irgendwo verstecken sich die ganz großen Nuggets.«

Bis zum späten Nachmittag schaufelten sie fieberhaft Sand in die Radkappen und versuchten das edle Metall aufzuspüren. Nach fünf Stunden Arbeit hatten sie weitere sieben Goldkrümel gefunden. Justus war schlecht vor Hunger. »Wenn ich das hochrechne, haben wir insgesamt nicht mal einen Dollar zusammen gesucht. Dafür gibt es gerade einen Hotdog. Und wenn ich den nicht gleich bekomme, falle ich tot um.« Missmutig warf er die Radkappe ans Ufer.

»Okay, machen wir Feierabend für heute«, lenkte Onkel Titus ein. Tante Mathilda wird sich schon Sorgen machen. Aber morgen kommen wir wieder — und zwar mit schwerem Gerät. Ich hab da so eine Idee.«

Jetzt erst bemerkten sie, wie viele Menschen in der Zwischenzeit am Fluss versammelt waren. Es schien, als ob ganz Rocky Beuch auf den Beinen war. Die ersten begannen Zelte aufzubauen, um sich für die Nacht einzurichten.

»Wie damals 1848«, bemerkte Onkel Titus. »Wartet ab, in wenigen Tagen steht hier eine ganze Stadt.«

Sie kletterten die steile Böschung hinauf und befestigten die Radkappen wieder an den Reifen. Als sie in den Pick-up steigen wollten, kam ein großer Mann in Uniform auf sie zu. »Entschuldigen Sie, Mister, darf ich fragen, ob Sie heute hier am Rocky River nach Gold geschürft haben?« Onkel Titus nickte verwundert mit dem Kopf.

»Dann muss ich Ihnen zehn Dollar abnehmen.

Tut mir Leid. Ich bin der Ranger für dieses Gebiet.
Mein Name ist Rod Dunken.«

»Wofür soll ich bitte zehn Dollar zahlen, Mister
Dunken?«

»Ich tu es nicht gern, aber das kalifornische
Gesetz schreibt es vor. Jeder, der auf Staatsgebiet
Gold schürft, muss an den Staat zahlen. Zehn Dollar pro Tag und Person. Eigentlich müsste ich Ihre
drei Helfer auch zur Kasse bitten, aber da will ich
mal ein Auge zudrücken.«

Zähneknirschend holte Onkel Titus sein Portmonee heraus und legte dem Ranger einen Zehndollarschein in die Hand.

»Da haben wir ja ein ordentliches Geschäft gemacht«, schimpfte Justus, als sie den holprigen Weg zurück fuhren. »Einen Dollar verdient — zehn Dollar ausgegeben. Irgendwie gefällt mir der Goldrausch nicht.«

»Ich hab mir schon gedacht, dass euch auch das Goldfieber gepackt hat«, sagte später Tante Mathilda beim Abendbrot. »In der Stadt gibt es nur ein Gesprächsthema. Fast alle Nachbarn um uns herum sind verschwunden.«

Titus 1

Unsanft wurde Justus Jonas am nächsten Morgen geweckt. »So, raus aus den Federn, sonst holen sich die anderen das Gold!« Onkel Titus riss den Vorhang beiseite und zog ihm die Bettdecke weg. »Guck mal aus dem Fenster, du wirst dich wundern. Die ganze Nacht habe ich daran gebastelt.«

Müde blinzelte Justus auf das Schrottplatzgelände. Er konnte nicht glauben, was er dort erblickte. Auf der Ladefläche des Pick-ups war eine riesige Maschine festgebunden. Sie sah aus wie eine große Rutsche mit vielen Schläuchen und Motorenteilen.

»Was ist das denn?«, fragte Justus erstaunt.

»Das ist die Titus 1«, verkündete sein Onkel stolz. »Es ist eine vollautomatische Goldwaschanlage: eine Dredge. Aber nun los, ich werde den Apparat am Fluss erklären!«

Am Frühstückstisch warteten schon, wie verabredet, Peter und Bob. Tante Mathilda gab allen anschließend noch ein großes Paket mit belegten Broten auf den Weg. »Damit ihr nicht wieder den ganzen Tag hungern müsst«, lachte sie.

Onkel Titus konnte mit seiner Goldwaschanlage auf der Ladefläche nicht sehr schnell fahren. Einige Male drohte das Gerät auf der unebenen Strecke abzurutschen. Doch sie waren nicht die Einzigen, die so früh unterwegs waren. Lange bevor sie ihr Ziel erreichten, parkten schon links und rechts der Straße die Autos der anderen Goldsucher. Onkel Titus fuhr unbeirrt an ihnen vorbei. »Ich muss mich so weit wie möglich nach vorn drängeln, um meine Maschine abzuladen. Das Ungetüm ist kaum zu bewegen.«

Das konnten die drei ??? kurz danach bestätigen. Nur mit großer Mühe gelang es ihnen, den selbst gebauten Apparat vom Pick-up zu heben. Onkel Titus hatte an der Unterseite Kufen, wie bei einem Schlitten, angebracht. »Seid vorsichtig, wenn wir die Titus 1 gleich die Böschung hinab gleiten lassen!«

Einige Goldsucher halfen und schließlich erreichte die Anlage wohlbehalten den Rocky River.

Doch der Ort war nicht wieder zu erkennen. Dicht an dicht standen unzählige Männer knietief im Wasser und schaufelten Sand in ihre Waschpfannen. Am Ufer begannen die Ersten kleine Bretterhütten aufzustellen.

Mittendrin hatte Porter einen kleinen Verkaufsstand zusammen gebaut. »Hallo, Mister Jonas!«, rief er ihnen fröhlich entgegen. »Ich habe alles da, was das Goldsucherherz begehrt. Getränke, Lebensmittel, Schaufeln, Hacken.«

»Wenigstens einer, der am Goldrausch verdient«, bemerkte Justus trocken.

»Das wollen wir erst mal sehen«, widersprach Onkel Titus zuversichtlich. »Passt auf, ich werde euch jetzt meine Maschine erklären. Sie schwimmt wie ein Floß. Im Grunde genommen ist es eine Art Rutsche. Auf der einen Seite wird mit einem Motor Wasser und Sand vom Boden hoch gepumpt. Das Ganze läuft dann über diese wellige Fläche. Seht,

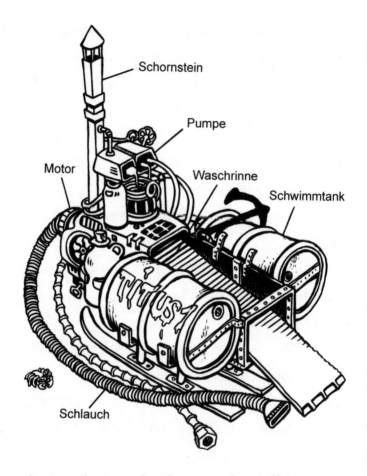

Schornstein

Pumpe

Motor

Waschrinne

Schwimmtank

Schlauch

die Rutsche ist nicht glatt — sie hat Riffeln wie ein
Waschbrett. Der leichte Sand wird fort gespült, das
schwere Gold bleibt in den kleinen Rillen liegen. So
einfach ist das.«

Ein paar neugierige Männer hatten sich um die Maschine versammelt.

»Meine Titus 1 schafft so viel wie hundert Goldwaschpfannen zusammen.«

Verständlicherweise wollte ab sofort keiner der anderen Goldsucher mehr mithelfen.

Aber auch ohne deren Hilfe gelang es den Vieren die Dredge in die Flussmitte zu schieben. Onkel Titus sicherte die schwimmende Apparatur mit einem Seil. »Peter, knote das Tau an dem Baum dort hinten am Ufer fest. Sonst treibt die Strömung das gute Stück den Fluss runter.«

Per Knopfdruck startete Onkel Titus anschließend den Motor. »Wunderbar«, freute er sich wie ein Kind. »Ganz ausgezeichnet. Die Pumpe pumpt. Das Wasser läuft. Der Rubel rollt.«

Die Maschine funktionierte tatsächlich. Wie in einem kleinen Bach rieselte das Wasser mit dem Sand über die wellige Rutsche.

Justus knetete seine Unterlippe. »Jetzt fehlt nur noch das Gold«, murmelte er.

Amtsakt

»Du wirst dich noch wundern, Justus. In diesem Berg steckt mehr Gold als in der Bank von England. Es scheint mir, du willst nicht so richtig daran glauben, oder?«

»Ich würde gern daran glauben, Onkel Titus. Bisher habe ich aber nur ein paar winzige Goldkrümel in deinen Händen gesehen.«

»Warte ab! Heute abend werden wir die Nuggets eimerweise nach Hause tragen. Ihr könntet mir aber in der Zwischenzeit die Tageskarte für die Schürfrechte bei Mister Dunken besorgen. Ich denke, der wird irgendwo herum laufen. Hier habt ihr die zehn Dollar.«

Justus steckte die Banknote ein und machte sich mit seinen beiden Freunden auf die Suche nach dem Ranger.

»Du verdirbst deinem Onkel noch die ganze Laune«, sagte Peter, als sie die steile Böschung hinauf kletterten.

»Lieber jetzt als später. Gestern war es hier noch menschenleer. Heute ist es voller als auf einem Jahrmarkt. Die Leute sind doch alle verrückt geworden.« Justus zeigte auf zwei Männer im Fluss, die sich um einen Platz zum Goldwaschen stritten.

Oben angekommen, entdeckten sie Rod Dunken. Er hatte vor der Holzschranke einen Tisch aufgebaut und saß auf einer leeren Holzkiste. Vor ihm standen die Goldsucher in einer langen Schlange an, um Tageskarten zu kaufen. Geduldig warteten die drei ???, bis sie an die Reihe kamen. Der Ranger erkannte sie wieder. »Sagt mal, seid ihr das etwa, die das schwere Gerät in den Fluss geschoben haben?«

Peter nickte. »Das ist eine Dredge. Die schafft mehr als hundert Goldwäscher zusammen.«

»Eine Dredge also.« Rod Dunken kaute auf seinem Bleistift. »Dann müsstet ihr eigentlich auch hundert mal mehr bezahlen. Ich werde mich morgen bei der Behörde schlau machen. Für heute will ich es bei den zehn Dollar belassen.« Peter erntete böse Blicke von Justus und Bob.

In diesem Moment wurden sie von einer lauten Autohupe aufgeschreckt. Ein alter Jeep stand vor der anderen Seite der Holzschranke. Die Türen öffneten sich und zwei kräftige Männer stiegen aus. Mit Ausnahme ihrer Jacken ähnelten sich die beiden bis auf das Haar.

»He, Dunken! Mach Platz, wir haben Termine in der Stadt!«, kommandierte einer der Zwillinge.

»Nur mit der Ruhe. Ich weiß, dass die Familie Sutter es immer eilig hat, aber ich muss erst einmal meinen Tisch beiseite räumen.«

Gelassen stand der Ranger auf und öffnete die Holzschranke. »Ich möchte mal wissen, was ihr in der Stadt für Termine habt. Solange ich euch kenne, habt ihr euren Privatbesitz nicht einmal verlassen.«

»Das geht dich nichts an, Rod! Schieb endlich den Tisch zur Seite!«

Sowie der Weg frei geräumt war, gaben sie Gas

und holperten über die ausgefahrene Straße. Doch als der Jeep in ein tiefes Schlagloch fuhr, sprang die Klappe der Ladefläche auf und eine Holzkiste rutschte heraus. Sie krachte auf den Boden und brach auseinander. Den Männern an der Schranke stand der Mund offen. »Gold!«, krächzten sie mit heiseren Stimmen. Tatsächlich: Die Kiste war randvoll mit schimmernden Brocken aus Gold. Zerstreut lagen sie mitten auf der Straße. Bevor jemand reagieren konnte, stoppte der Jeep und die beiden Brüder sprangen heraus.

»Keiner fasst das Gold an! Wehe, wenn einer auch nur in die Nähe kommt.« Die Zwillinge stellten sich entschlossen vor die zerbrochene Kiste.

Rod Dunken fand als Erster die Sprache wieder. »Verstehe, die Sutters haben auf ihrem Grund und Boden einen Goldschatz entdeckt. Jetzt kann ich mir auch denken, was ihr in der Stadt zu suchen habt. Ihr wollt zur Bank.«

Eilig verstauten die beiden kräftigen Männer die

Goldbrocken wieder im Jeep. »Na, und?«, knurrte einer der beiden. »Es ist doch nichts Verbotenes, Gold auf seinem Grundstück zu finden. Aber macht euch keine Hoffnung. Dort oben in den

Bergen liegt kein Krümel mehr. Wir haben seit Wochen alles abgesucht.«

Die anderen Goldsucher glaubten ihnen natürlich nicht. »Woher wollt ihr das denn wissen?«, rief ein kahlköpfiger Mann. »Habt ihr jeden Stein umgedreht? Vielleicht sollten wir selber noch mal genau nachsehen.«

Die Menge wurde allmählich unruhig. »Genau. Wenn da nichts mehr ist, können wir euch ja auch nichts wegnehmen.« Der kahlköpfige Mann hob bedrohlich die Schaufel und ging langsam auf die Sutters zu. »Überhaupt finde ich es ungerecht, dass in einem freien Land nicht jeder Gold suchen darf, wo er will. Die Bodenschätze gehören demjenigen, der sie findet.« Nervös zogen sich die beiden Brüder in den Wagen zurück. Immer mehr Menschen umlagerten den Jeep. Die Ersten versuchten, durch die Schranke auf das Privatgelände der Sutters zu laufen. Plötzlich knallte ein lauter Schuss.

Schürfrecht

Rod Dunken stand auf dem Tisch und hielt einen rauchenden Colt in die Luft. »Solange ich Ranger bin, wird niemand auch nur einen Fuß auf privaten Boden setzen. Ich sorge dafür, dass die Gesetze eingehalten werden. Ich will jetzt allein mit den Brüdern Sutter reden.«

Die Zwillinge kamen zögernd aus dem Jeep. Das Gold verstauten sie im Wageninneren und schlossen die Türen ab. Anschließend verschwanden sie mit Rod Dunken im Wald.

Die drei ??? hatten das Ganze aus der Entfernung verfolgt. »Die beiden sind bestimmt froh, dass der Ranger dazwischen gegangen ist«, flüsterte Bob. »Wenn denen nicht gleich etwas einfällt, werden die Leute nicht mehr aufzuhalten sein.«

In diesem Moment kam auch Onkel Titus atemlos angerannt. »Was ist passiert? Bei dem Knall bin ich vor Schreck fast von meiner Titus 1 ins Wasser gefallen.«

Als er von den Goldbrocken hörte, hob er begeistert die Arme in den Himmel. »Ich habe es gewusst. Unter unseren Füßen liegen Millionen.«

Das Goldfieber war endgültig ausgebrochen. Wie besessen liefen die Menschen durcheinander und sprachen nur noch über ein Thema.

Nach zehn Minuten kam Dunken mit den beiden Brüdern zurück. Der Ranger stellte sich wieder auf den Tisch. »Hört zu, Leute. Es sieht so aus, als würde es oben am Fluss tatsächlich noch eine Menge mehr Gold geben.« Ein Raunen ging durch die aufgebrachte Menge. »Aber die Sutters kommen euch entgegen. Sie gestatten euch, auf ihrem Grund und Boden nach Gold zu suchen. Bedingung ist, dass alles geordnet vonstatten geht. Ich werde mit ihnen zusammen das Gebiet in kleine Bereiche unterteilen. Für diese Flächen könnt ihr die Schürfrechte erwerben.«

»Und was kostet uns der Spaß?«, rief der kahlköpfige Mann mit der Schaufel dazwischen.

»Die Sutters verlangen für eine Woche fünfhundert Dollar plus zehn Prozent von dem gefundenen Gold. In genau achtundvierzig Stunden kann jeder von euch so viel Flächen erwerben wie er will. Die Zeit benötige ich, um alles vorzubereiten.«

»Fünfhundert Dollar?«, wiederholte Justus sprachlos. »Und wenn man dort nur Steine findet, ist man das Geld los?«

Doch anscheinend war er der Einzige, der sich Sorgen darum machte. Onkel Titus wollte sogar für mehrere Flächen die Schürfrechte kaufen. »Ich werde bei der Bank einen Kredit aufnehmen. Als Sicherheit hab ich unser Haus und den Schrottplatz. Das Geld habe ich an einem Tag wieder zurück gezahlt.«

Viele der Goldsucher hatten die gleiche Idee. Einer nach dem anderen setzte sich ins Auto und raste den Berg hinunter ins Tal.

»Los, wir lassen alles stehen und liegen und machen uns auf den Weg. Ich wette, vor der Bank steht gleich eine lange Schlange.«

Mit dieser Vermutung hatte Onkel Titus Recht.

Als sie in Rocky Beach ankamen, war die Stadt wie leer gefegt. Nur vor dem alten Bankgebäude auf dem Marktplatz drängten sich die Menschen.

Onkel Titus stellte den Pick-up in einer Seitenstraße ab. »Ich werde mich jetzt um den Kredit kümmern. Achtundvierzig Stunden sind knapp. Die Banken brauchen viel Zeit, um den ganzen Schreibkram zu erledigen. Sagt Tante Mathilda, dass ich später nach Hause komme!«

Justus knetete seine Unterlippe. »Mir gefällt das ganz und gar nicht«, sagte er leise.

Bob konnte seine Zweifel nicht nachvollziehen. »Was ist los, Just? Wir haben doch die Beweise gesehen. Das Gold lag auf der Straße.«

»Ich weiß, aber irgendwie habe ich das Gefühl, dass etwas an der Sache faul ist. Wir sollten die ganze Geschichte einmal in Ruhe in der Kaffeekanne durchgehen.«

Peter und Bob waren einverstanden. Sie machten sich auf den Weg zurück zum Schrottplatz.

Dort nahmen sie ihre Räder und fuhren die Küstenstraße in Richtung Süden.

Die Sonne stand mittlerweile schon tief über
dem Pazifik und erleuchtete dunkelrot den Himmel.

Nach etwa zwei Kilometern bogen sie in einen
kleinen Weg ab. Der zugewachsene Pfad führte an
einer alten Eisenbahnlinie entlang. Dann erreichten sie ihr Ziel. Sie standen vor einem hölzernen
Wassertank für die alten Dampflokomotiven. Mit
dem gebogenen Rohr an der Seite ähnelte er einer
Kaffeekanne und wurde darum auch so genannt.
Als es irgendwann nur noch Dieselloks gab, hatte
man ihn anscheinend vergessen.

»Dann mal hinein!«, rief Peter und stellte sein
Rad ab. Von unten konnte man in den Wassertank
einsteigen. Kurz darauf saßen die drei ??? in ihrem
Geheimversteck.

Justus fand ein paar vertrocknete Kekse im
selbst gebauten Regal aus alten Holzkisten und
stopfte sie in den Mund. »Ich würde ja gern an das

Gold glauben, aber mir geht das alles zu glatt«,
begann er.

Bob nahm sich auch einen Keks. »So ist das nun

mal bei einem Goldrausch. Vor über hundertfünfzig Jahren muss das genauso gewesen sein. Nur die Ersten sind reich geworden. Darum hat es dein Onkel auch so eilig.«

Justus zweifelte immer noch an der Geschichte. »Aber ist es nicht merkwürdig, dass wir nur kleine Krümel gesehen haben? Falls Onkel Titus kein Gold findet, gehört das Haus mit dem Schrottplatz bald der Bank.«

»Just hat Recht«, unterstützte ihn Peter. »Wenn das Gold tatsächlich einfach so herum liegt, warum hat man es damals nicht entdeckt? Hunderttausende haben in ganz Kalifornien die Erde durchwühlt. Die Klumpen sind ja nicht plötzlich vom Himmel gefallen.«

Nachdenklich nahm Justus den letzten Keks. »Genau. An dem Goldrausch ist Einiges oberfaul. Ich denke, die drei ??? müssen etwas unternehmen.«

Operation Gold

»Was schlägst du vor?«, fragte Bob.

»Wir haben genau achtundvierzig Stunden Zeit. Spätestens dann ist mein Onkel sein Geld los — und nicht er allein. Es gibt nur einen Weg, die Wahrheit herauszufinden. Wir müssen so schnell wie möglich das Gebiet der Sutters untersuchen.«

»Und wenn wir dort tatsächlich Gold finden?«

»In diesem Fall sollte Onkel Titus alle Schürfrechte kaufen, die er kriegen kann. Aber bis dahin ist das für mich nur ein wertloses Stück Waldgebiet.«

Peter rutschte unruhig auf seiner Holzkiste hin und her. »Aber was meinst du denn mit ›so schnell wie möglich‹?«

»Das bedeutet, noch heute Abend. Wir haben keine Zeit zu verlieren. Am besten fangen wir sofort damit an unsere Ausrüstung einzupacken.«

Die Kaffeekanne war nicht nur das Geheimversteck der drei ??? — hier lagerten sie auch alles, was man als Detektiv im Notfall braucht. In einer Truhe hatten sie drei Rucksäcke verstaut. Justus verteilte das Gepäck. »Peter, du bist der Stärkste von uns und nimmst das Zelt. Bob packt die restliche Ausrüstung ein. Wir brauchen die Taschenlampen, das Fernglas, Kompass, Streichhölzer und Kerzen. Ich übernehme den Proviant. Wir haben noch Schokolade, Chips, ein paar Äpfel und drei Flaschen Cola.«

Bob grinste ihn an. »Ich weiß auch, warum du das Essen und die Getränke tragen willst, Just. Das ist das Einzige, was unterwegs langsam leichter wird.«

»Dann tauschen wir von mir aus. Gib mir die Ausrüstung!«

Sie schnallten sich die Rucksäcke um und kletterten die Sprossenleiter des Wassertanks herunter. Feuerrot leuchtete der Abendhimmel.

Als sie an einer Telefonzelle vorbei fuhren, hielt Justus an. »Niemand weiß, wie lange wir fort sein werden. Vielleicht ist es besser Bescheid zu sagen.

Ihr wisst schon, der alte Trick.« Seine beiden
Freunde hatten verstanden.

Zuerst rief Peter bei sich zu Hause an. »Hallo, Mum, ich bin's. Ich wollte nur sagen, dass ich bei Bob bleibe. Wir gehen gleich morgen früh los zum Baden. Ja, ja, ich pass auf.« Es war nichts Ungewöhnliches, dass die drei woanders übernachteten. Anschließend telefonierte Bob und erzählte, dass er zusammen mit Peter bei Justus schlafen würde. Tante Mathilda glaubte schließlich, ihr Neffe bliebe über Nacht bei der Familie von Peter. Der Trick hatte bisher immer geklappt.

Sie fuhren dicht hintereinander auf der Küstenstraße wieder zurück nach Rocky Beach. Diesmal nahmen sie aber die Umgehungsstraße Richtung Osten. In der Ferne konnte man die Umrisse der Magic Mountains erkennen.

Mittlerweile hatte sich die Luft stark abgekühlt. Trotzdem schwitzten die drei, als es langsam bergauf ging. Nach einer Stunde legten sie eine kurze Pause ein und tranken die erste Flasche Cola leer. Der Himmel war sternklar.

Immer steiler führte der Weg ins Gebirge. Am Ende mussten sie absteigen und ihre Räder schieben.

»Ich bin froh, wenn ich den Führerschein machen kann«, schnaufte Justus.

Völlig erschöpft erreichten sie endlich die Stelle mit der Holzschranke.

»Wir sollten die Räder im Wald verstecken und zu Fuß weiter gehen«, schlug Peter vor. »Wer weiß, wen wir hier um diese Zeit antreffen.«

Sie trugen ihre Fahrräder durch das dichte Gestrüpp und legten sie unter eine umgefallene Tanne.

»Ich glaube, hier wird die niemand finden«, flüsterte Peter. Bob legte zur Tarnung noch einige Zweige darüber. »Höchstens ein paar Wildschweine. Von mir aus können die gerne eine Runde mit meinem Rad drehen«, grinste er. Der Gedanke an die Wildschweine löste bei Peter Unbehagen aus.

Vorsichtig schlichen sie zu der Böschung und

blickten hinunter zum Fluss. Noch immer trieb die Titus 1 ruhig auf dem Wasser.

Als sie weiter hinab kletterten, entdeckten sie an mehreren Stellen kleine Feuer. Im flackernden Licht der Flammen saßen einige Männer und wärmten ihre Hände. An einem der Lagerfeuer wurde Gitarre gespielt und gesungen. Es waren Lieder aus der Zeit des kalifornischen Goldrausches.

»Leise! Es ist besser, wenn die uns nicht bemerken«, zischte Justus. »Wir nehmen den Weg an der Holzschranke vorbei.«

»Und was ist, wenn die Sutters uns erwischen? Schließlich ist das gesamte Waldgebiet dahinter Privatbesitz. Vielleicht wird es sogar bewacht?«

Doch Justus konnte Peters Ängste schnell zerstreuen. »Wir werden einfach sagen, dass wir uns verlaufen hätten. Außerdem sehen wir nicht aus wie Goldsucher. Ich glaube es ist sehr unwahrscheinlich, dass wir jemanden treffen werden.«

Der Weg hinter der Schranke führte sie mitten in den Wald. Obwohl der Mond am Himmel hell leuchtete, schluckte das Dickicht über ihren Köpfen das letzte fahle Licht.

»Das ist hier ja stockduster«, bemerkte Bob. »Ich glaube, wir sollten die Taschenlampen rausholen.«

Schritt für Schritt tasteten sie sich den Pfad entlang. Im Lichtkegel der Lampen schwirrten nach wenigen Minuten unzählige kleine Insekten umher.

»Wir haben Mückenspray vergessen«, ärgerte sich Justus.

Peter sah sich nervös um. »Es sind nicht die Mücken, die mir Angst machen.«

Fährtenlesung

Der Weg wurde immer schlechter.

»Ein Wunder, dass die Sutters mit dem Jeep durchgekommen sind«, staunte Bob. Doch Reifenspuren deuteten darauf hin, dass hier zuvor ein Fahrzeug entlang gefahren sein muss.

Nach etwa zwei Kilometern erreichten sie eine Weggabelung. Justus holte den Kompass aus seinem Rucksack und hielt ihn ins Licht der Taschenlampe »Mein Gefühl sagt mir, dass wir weiter nach Osten müssen. Der linke Weg führt Richtung Norden. Also sollten wir den Rechten nehmen.«

Plötzlich raschelte es direkt neben ihnen im Unterholz.

»Was war das?«, erschrak Peter. Für einen kurzen Moment verstummte das Geräusch. Dann begann es erneut.

»Vielleicht ist es nur ein Wildschwein«, versuchte Justus seinen Freund zu beruhigen.

»Was heißt hier *nur*? Hast du mal so ein Schwein gesehen? Ich war neulich mit meinen Eltern im Zoo. Die haben Stoßzähne wie Elefanten.«

»Oder es sind die Sutter Brüder«, befürchtete Bob. In diesem Moment wurde vor ihnen ein Strauch zur Seite gedrückt. Instinktiv hob Peter einen kräftigen Stock vom Boden auf. Dann schob sich vorsichtig eine feuchte Schnauze durch das Gestrüpp.

»Tatsächlich, eine Wildsau«, stotterte Peter.

Das Schwein schien ebenso erstaunt zu sein. Ungläubig blickten sie sich gegenseitig ins Auge.

»Bob, gib mir den Rucksack mit dem Proviant!«, flüsterte Justus.

Bob sah ihn verständnislos an. »Hier. Aber du willst doch jetzt nicht was essen, oder?«

»Frag nicht! Achte auf das Schwein!« Justus öffnete den Rucksack, holte einen Apfel heraus und warf ihn dem Wildschwein direkt vor die Vorderläufe. Zögernd beschnupperte das Tier die

ungewohnte Frucht, doch schließlich machte es
sich schmatzend darüber her.

»Jetzt aber nichts wie weg«, atmete Justus
erleichtert auf und legte schnell noch die anderen
Äpfel auf den Boden. »Das Schwein ist eine Weile
beschäftigt.«

Eilig liefen sie den dunklen Weg weiter in Richtung Osten. Erst als das Grunzen des Wildschweins
nicht mehr zu hören war, wagten sie anzuhal-
ten.

»Mir reicht es für heute«, keuchte Peter. »Am
besten, wir drehen um und legen uns zu Hause
gemütlich in die Betten. Sollen sich doch andere
Leute um die Goldgeschichte kümmern.«

Doch Justus dachte nicht daran aufzugeben. »Kein Problem. Du kannst ja schon mal vorgehen. Grüße bitte auf dem Rückweg das Wildschwein von mir!«

»Okay, ich habe verstanden. Ich komme mit euch«, murmelte Peter kleinlaut.

Der Pfad wurde immer schmaler und schließlich war er gänzlich zugewachsen. Dornige Büsche und Zweige machten den Wald fast undurchdringlich. Mit Stöcken versuchten sie den Weg frei zu schlagen.

Allmählich verließ auch Bob der Mut. »Um hier durchzukommen, braucht man ein Buschmesser. Vielleicht sollten wir doch umkehren.«

»Dieser Weg scheint eine Sackgasse zu sein«, gab Justus erschöpft zu. Enttäuscht ließ er den Stock fallen.

Jetzt erst bemerkten sie die unheimliche Stille im Wald. Plötzlich hielt Justus seine Hände wie Trichter an die Ohren. »Moment, hört ihr das auch?«

Peter nickte. »Klingt wie fließendes Wasser.«

»Genau. Das ist hundertprozentig der Rocky River — keine zwanzig Meter vor uns. Wenn wir es bis dorthin durch den Dschungel schaffen, dann brauchen wir nur dem Flusslauf zu folgen und kommen wieder zurück. Dadurch sparen wir uns den Besuch beim Wildschwein.«

Diese Aussicht ermutigte Peter und Bob. Entschlossen kämpften sich die drei ??? Meter um Meter vorwärts. Dornen zerkratzten ihre Arme. Nach zehn Minuten hatten sie es endlich geschafft. Durch das dichte Blätterwerk war der Fluss deutlich zu erkennen.

»Na bitte!«, strahlte Justus Jonas.

Im hellen Schein des Mondlichts lag vor ihnen der Rocky River. An dieser Stelle war das Flussbett sehr breit und hatte dadurch nur eine geringe Strömung. Sie verließen den Wald und blickten über das nachtschwarze Wasser.

»Gib mir mal das Fernglas«, flüsterte plötzlich Bob. »Ich glaube, auf der anderen Seite steht eine

Hütte oder so was Ähnliches.« Justus reichte es ihm.

»Ja, jetzt bin ich mir sicher. Es ist ein kleines Blockhaus. Es scheint bewohnt zu sein, denn aus dem Schornstein steigt Rauch auf.«

Justus knetete seine Unterlippe. »Ich kann mir auch schon denken, wer dort zu Hause ist. Die beiden Sutter Brüder. Irgendwie habe ich das Gefühl, dass wir dort finden, was wir suchen.«

»Und wie wollen wir da hinkommen?«, fragte Bob. »Wenn wir rüber schwimmen, sind unsere

Klamotten nass und am nächsten Tag haben wir alle eine Lungenentzündung.«

Hier oben in den Bergen war es merklich kälter als unten im Tal.

Diesmal hatte Peter eine Idee. »Ich habe das mal in einem Indianerfilm gesehen. Wir holen uns jeder einen Stock, knoten unsere Sachen an die Spitze und halten den beim Schwimmen wie einen Regenschirm hoch. So bleibt alles trocken.«

Sein Vorschlag wurde angenommen. Kurze Zeit später wateten sie barfuß in das kalte Wasser. Peter ging vorweg. »Bloß nicht auf den glatten Steinen ausrutschen.«

Lauschangriff

Bis zur Hälfte des Flusses konnten sie noch stehen. Ab da wurde es schlagartig tief und die drei Detektive mussten den Rest schwimmen. Um sie herum glitzerte das Mondlicht auf den kleinen Wellen. Sie hatten nur eine Hand frei und kamen dadurch sehr langsam vorwärts. Zitternd erreichten die drei ??? das andere Ufer.

»Am besten, wir trocknen uns mit dem Stoff von unserem Zelt ab«, schlug Justus vor. Dann zogen sie sich wieder an.

Die Blockhütte lag versteckt zwischen den Bäumen etwas weiter oberhalb. Ein Trampelpfad führte von dort aus direkt zum Wasser.

Peter packte das Zelt wieder ein und schnallte den Rucksack auf. »Wenn wir da lang gehen, sind wir meilenweit zu erkennen. Wir sollten uns in einem großen Bogen durch die Büsche anschleichen.«

Vorsichtig näherten sie sich dem kleinen Holzhaus.

»Justus hat mit den Sutters Recht gehabt«, flüsterte Bob. »Dort hinten steht der alte Jeep von den Brüdern.«

Aus dem Inneren der Hütte hörte man leise Stimmen. Die letzten Meter gingen die drei ??? auf Zehenspitzen über den weichen Waldboden.

Peter sah sich ängstlich um. »Hoffentlich haben die keinen Hund.«

Ihr Ziel war ein kleines Fenster auf der Flussseite. Dicht zusammengedrängt kauerten sie sich darunter.

Die Männerstimmen waren jetzt deutlich zu hören. »John, schmeiß noch mal Holz aufs Feuer! Verdammt kalt geworden heute Nacht. Wird Zeit, dass wir aus diesem erbärmlichen Loch raus kommen. Vater hat die Holzfällerei vielleicht gefallen — mich kotzt die Schufterei an. Aber lange müssen wir ja nicht mehr warten. Die achtundvierzig Stunden sind bald um — dann beginnt für *uns* der Goldrausch.«

Plötzlich stand jemand auf und ging geradewegs auf das Fenster zu. Die drei ??? wagten nicht aufzublicken. Direkt über ihnen schob sich ein Kopf nach draußen. »Kein Wunder, dass es

saukalt ist, Jack. Wir haben sternklaren Himmel.«

Justus riskierte aus dem Augenwinkel einen Blick nach oben. Es war einer der Sutter Brüder. Er lehnte mit einer Bierdose in der Hand auf dem Fensterbrett und spuckte in hohem Bogen über ihre Köpfe hinweg.

Danach zog er sich zurück und schloss die Fensterläden. »Wie soll es auch drinnen warm werden, wenn alle Luken offen stehen.« Dieses waren die letzten Worte, die man von ihm verstehen konnte.

Die drei ??? steckten dicht ihre Köpfe zusammen. »Habt ihr gehört? Die Sache stinkt gewaltig. Wir müssen zurück in die Stadt, um Onkel Titus zu warnen«, flüsterte Justus.

Doch während er und Peter sich vorsichtig erhoben, kauerte Bob immer noch am Boden. Mit aller Kraft presste er seine Hand auf den Mund.

Peter erkannte sofort, was los war. »Oh nein. Er muss niesen. Das kalte Wasser ist schuld.«

Bobs Kopf lief allmählich knallrot an. »Ha, ha...«

Es war zu spät, seine beiden Freunde konnten nichts dagegen unternehmen.

»Hatschi!«, hallte es lautstark durch den Wald.

Sekunden später wurde die Tür auf der anderen Seite der Blockhütte aufgestoßen.

»Was war das? Wer ist da?«, brüllte einer der Sutters. »John, hol den Bärentöter! Vielleicht kriegen wir Besuch.«

Den drei ??? stockte der Atem.

»Das war ganz hier in der Nähe!«, rief der andere. Man hörte, wie ein Gewehr durchgeladen wurde.

»Los, Jack, du gehst da lang, ich lauf auf der anderen Seite ums Haus herum.«

Die Detektive saßen in der Falle. Immer näher kamen die Schritte.

Plötzlich hielt sich Peter seine Hände, wie eine Muschel, vor den Mund. »Oink, oink...« Er grunzte wie ein Schwein. Justus und Bob wurden vor Schreck kreideweiß.

»Ich hab's mir gedacht«, lachte einer der Holz-fäller. »Diese verdammten Wildschweine. Warum schlafen die Mistviecher nachts nicht wie normale Dreckschweine. So wie wir.«

Die beiden Sutters schüttelten sich vor Lachen und verschwanden wieder in der Hütte.

Jetzt erst begriffen Justus und Bob — Peter hatte sie gerettet. Erleichtert atmeten sie auf.

»Das war in der letzten Sekunde«, lobte Bob sei-nen Freund und klopfte Peter anerkennend auf die Schulter.

Sie nahmen ihre Rucksäcke und schlichen an der Holzwand entlang. Sie hatten genug gehört.

Mittlerweile wurde der Mond von dunklen Wol-ken verdeckt und aus der Ferne rief eine Eule durch den Wald. Man sah die Hand vor Augen nicht.

»Bleibt dicht hinter mir!«, flüsterte Bob. »Sonst verlieren wir uns und…« Weiter kam er nicht, denn eine kräftige Hand packte plötzlich seine Schulter und ein greller Strahl einer Taschenlampe blendete ihn.

»Ach ne, wen haben wir denn da? Die Lausebengels von gestern. Das nenne ich aber eine
Überraschung.« Es war Josh McBrian.

Goldener Käfig

Keiner der drei brachte ein Wort heraus. Der bärtige alte Mann hatte Bob immer noch fest im Griff. »Was man nicht alles mitten in der Nacht im Wald findet. Und ich dachte, um diese Zeit verlaufen sich nur Wildschweine hierher.«

Hinter McBrian stand sein vollbepackter Esel. »Sieh mal, Happy Donkey, die gucken genau so blöd wie du. Ich glaube, es wird Zeit, dass ich unseren Besuch im Haus vorstelle. Mitkommen!«

Widerstandslos folgten sie dem Mann zur Tür.

»He, Jack und John! Kommt raus! Seht mal, was einem hier draußen alles über den Weg läuft.«

Die Sutterbrüder staunten nicht schlecht, als sie die drei ??? erblickten. »Was sind das denn für komische Vögel?«, begann einer der beiden.

»Keine Ahnung. Ich hab die hinter unserm Haus aufgesammelt. Zuerst dachte ich, da laufen ein paar Wildschweine herum. Aber eine Wildsau mit Brille ist mir bisher noch nicht vorgekommen.« Er zeigte auf Bob und sein hämisches Lachen hallte lautstark durch den Wald. Doch dann verfinsterte sich McBrians Miene. »So, Schluss mit lustig! Rein mit euch!« Unsanft wurden die drei Detektive in die Hütte geschubst.

Es war nur ein einziger Raum. In der Mitte stand ein Tisch und in einer Ecke brannte offenes Kaminfeuer. Als Schlafplätze dienten geflickte Luftmatratzen. Es roch nach Bohnensuppe. Ängstlich blickte Peter auf eine riesige Axt an der Wand.

»Wer seid ihr, was wollt ihr und wo kommt ihr her?« McBrians rauhe Stimme klang jetzt sehr bedrohlich.

Justus musste schlucken, bevor er einen Ton herausbrachte. »Wir... wir haben uns verlaufen. Eigentlich wollten wir mit meinem Onkel im Wald spazieren, doch irgendwie müssen wir uns verloren haben.« Nicht einmal er selbst konnte so richtig an seine Geschichte glauben.

»So, so... Im Wald spazieren also. Mit eurem Onkel...« Wütend knallte McBrian mit der Faust auf den Tisch. »Seh ich aus wie ein Esel? Raus mit der Sprache! Wie lange habt ihr euch unter dem Fenster herum getrieben?«

Die drei ??? wurden mit Gewalt auf eine der schmutzigen Matratzen gedrängt.

Bob nahm seinen ganzen Mut zusammen. »Wir wissen, was Sie vorhaben. Hier gibt es nicht einen Krümel Gold. In wenigen Minuten wird die Polizei die Hütte umstellen. Alle wissen Bescheid. Es ist besser, wenn Sie uns jetzt gehen lassen!«

»Junge, du siehst zu viel fern!«, schrie McBrian vor Lachen. »Hältst du mich für einen Idioten? Wieso sollte die Polizei drei Knirpse vorweg schicken? Jack, was machen wir jetzt mit den Zwergen?«

Jack Sutter ließ sich auf einem Stuhl nieder und öffnete mit den Zähnen eine Bierdose. »Am besten in den Fluss schmeißen.«

Sein Bruder setzte sich neben ihn. »Die Sache gefällt mir überhaupt nicht. Wer weiß, wie lange die gelauscht haben? Wir dürfen nicht das geringste Risiko eingehen. Digger, entscheide du!«

McBrian kratzte sich am Bart. »Na schön. Denken wir scharf nach. Laufen lassen können wir sie nicht — das ist schon mal klar. Die Sache mit dem Fluss hört sich gut an, aber die Leute mögen es nicht so gern, wenn man ihre Kinder ins Wasser schmeißt. Nein, nein... was wir brauchen, ist Zeit. Morgen mittag kommt unser großer Tag. Wir schnappen uns die Kohle von den Verrückten aus der Stadt und dann nichts wie weg nach Mexiko.«

Justus' Neugierde war größer als seine Angst. »Mister McBrian, wenn Sie uns sowieso nicht laufen lassen, dann können Sie uns doch auch erzählen, was Sie eigentlich vorhaben.«

Der Mann nahm seinen staubigen Hut vom Kopf. »Nun guckt euch den Bengel an. ›Mister‹ nennt er mich... zu komisch. Ich bin seit vierzig Jahren einfacher Holzfäller, aber ›Mister‹ hat mich noch nie jemand genannt. Du denkst also, ich bin einer der fiesen Typen, die am Ende ihren gesamten Plan ausplaudern, oder? Na schön, der Plan ist eigentlich auch zu genial, als dass man ihn für sich behalten kann. In ein paar Tagen wird es sowieso jeder wissen. Aber bis dahin liegen wir schon längst am Strand von Acapulco und lassen uns kalten Champagner auf silbernen Tabletts bringen. Also gut, dann hört mal genau zu: Meine beiden Freunde und ich hatten einfach die Schnauze voll Tag für Tag mit einer Axt auf armen Tannen herum zu hacken. Lange Zeit hatte ich gehofft, irgendwann mal hier oben in den Bergen auf Gold zu stoßen. So eine richtig fette Bonanza — eine Goldader. Aber alles, was es hier gibt, sind dreckige Steine. Tja, da mussten wir ein wenig nachhelfen. Wir haben unseren Sparstrumpf geplündert und dafür Gold gekauft. Wisst ihr, wie viele Bäume man für eine Handvoll Gold fällen muss? Ihr habt ja keine Ahnung. Und ratet mal, was wir mit den ganzen kleinen Goldkrümelchen gemacht haben? Genau, wir haben sie in den Rocky River geworfen. Hübsch verstreut. Ach ja, der kleine Klunker in dem Geschäft von... wie heißt er noch gleich? Richtig, Porter, der Idiot, der brachte erst den Stein ins

Rollen — im wahrsten Sinne des Wortes. Ihr müsst euch das mal vorstellen! Ein paar Mininuggets lösen einen Goldrausch aus. Morgen Mittag werden alle diese hoffnungsvollen Menschen viel Geld für absolut wertloses Land auf den Tisch legen. Leider finden sie nur unsere paar Goldkörnchen. Doch dann sind wir schon weit weg. Ende der Märchenstunde.«

Jack und John Sutter schienen fast ergriffen zu sein und applaudierten zaghaft.

Justus hatte noch eine letzte Frage. »Und was ist mit den großen Goldklumpen in der Kiste?«

»Du meinst wahrscheinlich solche dicken Brocken wie diesen hier, oder?« McBrian öffnete die Tischschublade, holte einen riesigen Nugget heraus und warf ihn Justus zu. »Fang auf, schenke ich dir. Hundert Prozent Gold. Zumindest außen herum. Wenn du ein bisschen daran kratzt, hast du darunter einen stinknormalen Stein. Ihr wisst doch, mit nur einem Gramm kann man einen ganzen Esel samt Reiter vergolden.«

Justus ließ den vergoldeten Stein in seiner Hosentasche verschwinden.

Selbstzufrieden sah McBrian in einen verdreckten Wandspiegel. »So, meine Herren, das war also mein genialer Plan. Doch leider hat die Sache einen Haken. Ihr wisst doch, immer wenn der Bösewicht alles ausgeplaudert hat, gibt es für ihn ein Problem.« McBrians Augen zogen sich bedrohlich zusammen. »Er muss auf dem schnellsten Wege seine unliebsamen Zeugen los werden.«

Verschleppt

Der bärtige Mann winkte die Sutter Brüder zu sich heran. Das, was er ihnen leise ins Ohr flüsterte, war aber nicht zu verstehen.

Langsam rutschten die drei ??? auf der Luftmatratze nach hinten. Über ihnen hingen an den Wänden ausgestopfte Wildschweinköpfe.

»So, wir haben eben beschlossen, was mit euch geschehen wird«, begann McBrian. Anschließend nahm er ein Handtuch und reichte es einem der Brüder. »Hier, Jack, du übernimmst das!«

Jack Sutter packte fest das Handtuch und riss es in drei lange Streifen.

»Was haben Sie mit uns vor?«, stammelte Peter ängstlich. Der Holzfäller grinste hinterhältig. »Gleich wird es für euch dunkel werden.«

Bob war als Erster dran. »He, Brillenschlange! Drahtgestell runter!« Mit zitternden Händen nahm Bob seine Brille ab. Dann wurden ihm mit dem

Stoffstreifen die Augen verbunden. Mit Peter und Justus passierte das Gleiche.

»Das reicht!«, hörten sie McBrians Stimme. »Wir müssen uns beeilen. Jeder schnappt sich einen der Bengel und dann nichts wie raus!«

Dann wurden die Detektive gepackt und aus dem Haus gezerrt.

Der Weg führte nur wenige Meter über den weichen Waldboden.

»Und jetzt rein mit euch Schlaubergern!«

Einer nach dem anderen landete auf dem Rücksitz eines Autos.

»Der Jeep«, flüsterte Justus.

»Schnauze halten!«, brüllte Jack Sutter ihn an.

Der Wagen wurde gestartet und setzte sich in Bewegung. Die drei ??? schleuderten bei jedem Schlagloch fast bis an die Decke.

Nach einer kurvenreichen Fahrt erreichte der Jeep endlich eine befestigte Straße.

Plötzlich erklang Musik.

»Vivaldi«, schwärmte McBrian. »Ich liebe Vivaldi. Kein Mensch wird als Holzfäller geboren. Ich habe es immer gehasst. Aber einmal Holzfäller, immer Holzfäller. Doch ab morgen ist Schluss damit — und das werde ich mir nicht von drei dahergelaufenen Strolchen vermiesen lassen.«

Es ging ununterbrochen bergauf.

Irgendwann hörte die Musik auf und McBrian applaudierte. »Vivaldis vier Jahreszeiten... ich könnte es immer wieder hören. Ein Genie. Aber alle schönen Dinge gehen einmal zu Ende — so auch diese Fahrt. Meine Herren, ihr dürft wieder sehen.«

Der Jeep stoppte und zögernd nahmen die drei ??? ihre Augenbinden ab.

»Alles aussteigen!«, befahl John Sutter und riss die Autotüren auf. Die Scheinwerfer des Jeeps erleuchteten die Umgebung. Sie standen direkt vor einer zerfallenen Holzbaracke.

McBrian ging auf die Hütte zu. Die Tür war aus den Angeln heraus gebrochen.

»Lange keiner mehr hier gewesen«, lachte er. »Aber eure neue Behausung ist in tadellosem Zustand. Nur hereinspaziert!«

Verständnislos folgten ihm die drei ???. Der Holzfäller zündete eine Petroleumlampe an.

»Na bitte, alles da. Licht und genügend frische Luft. So, und nun habt ihr genug rätseln können, was wir mit euch vorhaben, oder?«

Justus Jonas blickte auf mehrere Lager aus Stroh und zerfetzten Decken. »Ich denke, wir sollen

so lange hier bleiben, bis Sie in Mexiko unterge-
taucht sind.«

McBrian klatschte vergnügt in die Hände.
»Großartig! Ihr seid ja doch nicht so doof. Wunderbar, dann kann ich mir ja die Worte sparen. Ihr
werdet von uns zu einem gratis Urlaub in den
Bergen eingeladen. Auf diese Weise können wir in
Ruhe unseren Geschäften nachgehen und ihr funkt
uns nicht dazwischen. Wenn wir sicher in Acapulco
gelandet sind, rufen wir die Polizei an und sagen
denen, wo wir euch versteckt haben — wir sind ja
keine Unmenschen. Keine Angst, in zwei, drei Tagen
seid ihr wieder bei Mama. Ach ja, an eurer Stelle
würde ich hübsch brav hier warten. Zu Fuß habt ihr
keine Chance. Jack, reiche doch bitte unseren ver-
ehrten Gästen die Hotelverpflegung!«

Jack Sutter holte aus dem Jeep einen blauen
Beutel und warf ihn Peter vor die Füße. »Guten
Appetit«, lachte er hämisch.

Wenig später raste der Wagen mit den Holzfällern davon.

Peter blickte verzweifelt hinterher. »Was machen wir denn jetzt?« Weder Bob noch Justus hatten darauf eine Antwort. Ein kalter Windstoß wehte in die Hütte.

»Das scheint mir so eine Art Notunterkunft für die Holzfäller gewesen zu sein«, vermutete Bob.

Justus wischte mit der Hand klebrige Spinnengewebe aus seinem Gesicht. »Das muss aber schon ein paar Jahre her sein. Egal, im Moment haben wir keine andere Chance, als hier zu bleiben. Was ist überhaupt in dem Sack drin?« Peter hob den blauen Beutel vom Boden auf und schüttete den Inhalt auf einen kleinen Holztisch. »Altes Brot, vertrockneter Käse und acht Konservendosen mit Bohnensuppe.«

Doch sie waren viel zu müde, um ans Essen zu denken. Völlig erschöpft legten sie sich ins Stroh und deckten sich mit den zerfetzten Lumpen zu. Innerhalb von Sekunden waren sie eingeschlafen.

Schweinefutter

Bob war der Erste, der aufwachte. Er schob die klamme Decke zur Seite und setzte seine Brille auf.

»He, Just und Peter, schlaft ihr noch?« Durch das löchrige Dach gelangten einige Sonnenstrahlen in die staubige Hütte.

Peter rieb sich müde die Augen. »Oh nein, und ich habe gehofft, dass alles nur ein schlechter Traum gewesen ist.«

Als Letzter kam Justus zu sich. Seine Haare waren voller Stroh. »Sag mal, Peter, hast du in der Nacht so geschmatzt? Ich bin davon aufgewacht.«

Peter wollte antworten, doch Bob kam ihm zuvor. »Ich kann dir sagen, wer da geschmatzt hat. Seht euch mal unsere Vorräte an!«

Er zeigte auf den umgestoßenen Tisch. Daneben lagen verstreut Brotkrümel und eine abgefressene Käserinde. Auch die Rucksäcke mit dem Proviant und der Ausrüstung waren aufgerissen. Von der Schokolade und den Chips sah man nur noch die zerfetzten leeren Packungen und der Kompass war zertreten.

»Ein Wildschwein!«, riefen alle drei gleichzeitig.

Fassungslos hob Peter eine der Dosen mit Bohnensuppe auf. »Wenigstens die hat uns das dumme Schwein gelassen.«

Die Sonne stand recht hoch am Himmel.

»Es ist bestimmt schon nach zehn Uhr«, schätzte Bob, als er aus der Hütte trat.

Sie befanden sich auf einer Lichtung mitten im

Wald. Von hier aus konnte man weit hinunter ins Tal sehen. Zwei Greifvögel kreisten hoch über ihnen.

»Seht mal, was ich gefunden habe!«, rief Peter und klapperte mit einem verbeulten Kochtopf. »Zumindest können wir hier drin die Bohnensuppe erhitzen.«

Jetzt erst bemerkten alle, dass sie kaum etwas gegessen hatten. Schnell sammelten sie Holz für ein Lagerfeuer zusammen. Wenig später prasselten die Flammen.

»Am besten, wir stellen den Topf direkt auf die Glut«, sagte Peter eifrig. »Just, du kannst schon mal die Dosen öffnen.«

Bei dem letzten Wort zuckten alle drei zusammen. Hastig wühlte Justus in dem blauen Beutel.

»Das darf doch nicht wahr sein! Diese Typen haben vergessen einen Dosenöffner einzupacken.«

Allmählich begriffen die drei Detektive, wie ernst ihre Lage war. Peter nahm entschlossen eine der Konserven in die Hand.

»Ich werde ja wohl noch eine alte Blechdose auf bekommen«, ärgerte er sich und legte sie auf einen Stein. Dann suchte er einen dicken Knüppel und schlug so stark er konnte darauf. In hohem Bogen flog die Dose durch die Luft und rollte anschließend den Abhang hinunter.

»Das war Nummer eins. Die finden wir nie wieder«, bemerkte Justus trocken.

»Ach ja, wenn du meinst, du kannst das besser — hier bitte!« Wütend hielt Peter seinem Freund eine weitere Dose vor die Nase. Justus nahm die Herausforderung an. Nervös knetete er seine Unterlippe und suchte fieberhaft nach einer Idee. Plötzlich erhellte sich sein Gesicht. »Ich werde die Bohnendose völlig ohne Gewalt öffnen. Man muss nur eine Weile nachdenken. Köpfchen statt Kraft.«

Dann legte er die Dose mitten ins Feuer. »So einfach geht das. Wir müssen jetzt nur ein wenig warten. Die Bohnensuppe fängt innen an zu kochen und durch den Druck springt der Deckel auf. Fertig und guten Appetit.«

Gespannt beobachteten sie die Dose im Feuer. Die Hitze brannte zunächst das Etikett ab, doch nach wenigen Minuten hörte man ein leises Blubbern.

»Ihr könnt euch schon mal die Servietten umbinden«, strahlte Justus. In diesem Moment gab es einen ohrenbetäubenden Knall. Im Bruchteil einer Sekunde war die Luft erfüllt von Bohnensuppe. Etwas weiter abseits landete die zerplatzte leere Blechdose im Gestrüpp.

Justus, Peter und Bob waren über und über mit Bohnen bekleckert. Fassungslos starrten die drei immer noch auf das Feuer.

»Mahlzeit«, unterbrach Bob die Stille. Dann mussten alle so laut lachen, dass ihnen der Bauch weh tat.

Doch ihre Situation war durch den fehlenden Dosenöffner noch bedrohlicher geworden.

Justus fasste zusammen. »Also, wir können hier bleiben und warten, bis man uns rettet. Leider wissen wir nicht, ob die Typen tatsächlich die Polizei informieren werden. Dazu kommt, dass Onkel Titus in der Zwischenzeit sein Geld los wird und wir hier tagelang hungern müssen. Wir können aber auch versuchen, die Strecke zu Fuß zu schaffen. Vivaldis ›Vier Jahreszeiten‹ dauert über eine Stunde — Tante Mathilda hört es mindestens einmal die Woche. Genau so lange sind wir mit dem Jeep gefahren.

Ohne Auto kommt man bestimmt auf drei Tagesmärsche — wenn wir den Weg ohne Kompass überhaupt finden.«

Die drei entschieden sich für die zweite Möglichkeit. Sie löschten das Feuer mit Sand und machten
sich auf den Weg. Peter trug den heißen Kochtopf
an einem Stock. »Vielleicht finden wir unterwegs
einen Dosenöffner.«

Überlebenstraining

Sobald sie die Lichtung verlassen hatten, ging es nur noch mühsam vorwärts. Immer wieder mussten sie kleine Schluchten überwinden und steile Berghänge absteigen.

»Wenn ich nicht gleich etwas zu essen bekomme, falle ich auf der Stelle tot um«, jammerte Justus. Mittlerweile waren sie schon seit Stunden unterwegs.

Bob erzählte von einem Zeitungsbericht seines Vaters. Mister Andrews arbeitete für eine große Tageszeitung in Los Angeles. »Es war ein Bericht über einen Mann, der im Urwald mit seinem Flugzeug abgestürzt ist. Vier Wochen hat er sich durch den Dschungel gekämpft. Der ist nur davongekommen, weil er vorher an einem Überlebenstraining teilgenommen hat. Ihr wisst schon, Würmer essen und so etwas.«

Angewidert spukte Peter auf den Boden. »Igitt! Vorher würde ich meine Schuhe aufessen.«

»Standen in dem Bericht auch irgendwelche Tipps?«, wollte Justus wissen.

»Viele. An einige Sachen kann ich mich sogar erinnern. Zum Beispiel erkennt man an den Bäumen die Himmelsrichtung. Wie, weiß ich aber nicht.«

Peter betrachtete eine Tanne. »Wie soll das denn funktionieren? Ein Baum ist doch kein Kompass.«

Justus lief um die Tanne herum. »Merkwürdig ist, dass die Rinde nur auf einer Seite mit Moos bewachsen ist. Also, die Sonne geht im Osten auf und wandert nach Westen. Na klar, die Seite mit dem Moos bekommt nie Sonne ab. Moos wächst nur im feuchten Schatten. Diese Seite zeigt immer nach Norden.«

Peter war begeistert. »Na bitte, jetzt haben wir zumindest wieder einen Kompass und laufen nicht im Kreis. Vielleicht fallen dir noch mehr Tricks ein, Bob?«

»Ich denke schon die ganze Zeit nach. Wie man

Feuer macht, wurde lange beschrieben. Aber zum Glück haben wir ja Streichhölzer.«

»Und wenn die nass werden?«, gab Justus zu bedenken.

»Da gibt es auch einen Trick. Den können wir sogar sofort ausprobieren. Passt mal auf!«

Bob nahm die Streichhölzer und zündete eine Kerze an. Dann zog er langsam ein neues Zündholz durch das flüssige Wachs. »Unter der Wachsschicht ist das Streichholz jetzt vor Wasser und Feuchtigkeit geschützt und bleibt trocken. Wenn man es später braucht, kann man das Wachs einfach wieder herunter kratzen. Am besten, wir machen das gleich mit allen anderen auch.«

Gegen den Hunger hatte Bob aber leider keinen Trick. Zwar fanden sie ab und zu einige Waldbeeren, doch es waren viel zu wenige, um satt zu werden.

»Wären wir nur nicht von der Hütte weggegangen«, bereute Peter seine Entscheidung. »Wir haben keine Ahnung, wo wir gerade sind. Kein Mensch wird uns je finden.«

Ganz allmählich setzte die Dämmerung ein und es wurde unangenehm kalt. An einer kleinen Quelle füllten sie ihre leeren Colaflaschen auf.

»Wenigstens verdursten wir nicht«, grinste Justus mühsam.

In diesem Moment kam ihm eine Idee. »Wisst ihr was? Wir folgen einfach dem kleinen Quellbach. Bäche fließen in Flüsse und Flüsse enden

schließlich im Meer. Irgendwann landet jeder Tropfen einmal im Pazifik.«

Die drei ??? schöpften erneut Hoffnung.

Doch es war nicht leicht, dem Wasserlauf zu
folgen. Er schlängelte sich im Zickzack durch das
unwegsame Gelände. Immer wieder stießen weitere Bäche dazu und aus dem kleinen Rinnsal
wurde ein breiter Strom.

Schließlich mündete er, wie Justus gehofft hatte,
in einem Fluss.

»Ich wette, das ist der Rocky River!«, rief er
freudestrahlend.

Die drei ??? beschlossen am Flussufer ihr Nacht-
lager aufzuschlagen. Bob deutete auf eine passende Stelle. »Hier vorn liegt weicher Sand. Dort
schläft es sich wie im Hotelbett.«

Zunächst sammelten sie aber Holz, zündeten
ein großes Feuer an und wärmten ihre kalten
Hände. Jetzt hatten sie vor Hunger richtig Bauch-
schmerzen.

Peter nahm den Topf und schöpfte Wasser aus

dem kristallklaren Fluss. »Wenn ich das auf dem Feuer zum Kochen bringe, können wir so tun, als wäre es Tee.« Plötzlich schrie er laut auf. »Hier sind Viecher im Wasser!«

Seine beiden Freunde rannten sofort zu ihm und ließen sich die Lebewesen zeigen.

»Weißt du, was das ist, Peter? Das sind Flusskrebse«, klärte ihn Justus auf. »Tante Mathilda bringt die öfter vom Markt mit.«

Peter sah ihn mit großen Augen an. »Just, du denkst doch jetzt nicht etwa daran, die Viecher aufzuessen, oder?«

Doch Justus hatte sich schon längst dazu entschlossen. »Zuerst müssen wir das Wasser im Topf erhitzen. In der Zwischenzeit fangen wir mit der Hand ein paar Krebse.«

Auch Bob ließ sich schließlich überzeugen.

Nur Peter blickte immer noch angewidert auf die Krustentiere.

Als Justus die Flusskrebse ins kochende Wasser warf, sahen beide nicht hin. Nach wenigen Minuten waren sie gar gekocht.

Vorsichtig fischte Justus einen heraus. »Man kann die wie Krabben schälen. Absolut lecker.«

Bob probierte und war begeistert. »Das Beste, was ich je gegessen habe«, schwärmte er. Schließlich hielt Peter es nicht mehr aus. »Okay, fertig abgeschält würde ich auch einen nehmen.«

Sie aßen so lange, bis sie nicht mehr konnten.

Flammenzeichen

Die Flammen loderten in der rabenschwarzen Nacht hell auf. Peter legte sich auf den Rücken und blickte in den wolkenlosen Himmel. »Wenn man eine Sternschnuppe entdeckt, darf man sich was wünschen.«

Lange Zeit lauschten sie dem Knistern des Feuers und dem Rauschen des Rocky River.

»Da! Seht ihr die?«, unterbrach Bob die Stille. »Eine riesige helle Sternschnuppe direkt über uns. Was habt ihr euch gewünscht?«

»Das darf man nicht sagen, sonst geht es nicht in Erfüllung«, erklärte Peter.

Doch jeder von ihnen hatte den selben Wunsch — alle drei wollten wieder nach Hause.

Allmählich erlosch das Feuer und es wurde empfindlich kühler. Bob erinnerte sich an einen weiteren Trick des Überlebenskünstlers. »Ich weiß, wie wir uns eine Fußbodenheizung für die Nacht bauen können.«

»Eine Fußbodenheizung?«, wiederholte Peter ungläubig. »Warum bastelst du nicht gleich einen Fernseher aus Tannenzapfen?«

Bob ließ sich nicht beirren und begann mit den Händen Sand auf die Glut zu schaufeln. »Helft mir mal! Die Sandschicht muss mindestens zwanzig Zentimeter dick sein.«

Langsam begriffen seine beiden Freunde den Plan.

Justus war fasziniert. »Verstehe, die Glut erhitzt den Sand und wir bekommen warme Füße.« Anschließend bauten sie ihr Zelt direkt darüber auf.

»Besser als in einem Hotelbett«, strahlte Peter, als er sich auf den erwärmten Boden legte.

Innerhalb von Sekunden waren sie eingeschlafen.

Leider kühlte sich der Boden bis zum nächsten Morgen wieder ab. Zitternd erwachten die drei ???. Justus öffnete den Reißverschluss vom Zelt und blinzelte in die aufgehende Sonne.

»Die Zeit wird knapp. Wenn wir nichts unternehmen, verliert Onkel Titus in wenigen Stunden viel Geld.«

Schnell war das Zelt abgebaut und wieder im Rucksack verpackt.

Doch der Weg entlang des Rocky River erwies sich schwieriger als erwartet. Immer wieder mussten sie mühselig über große Geröllfelder klettern.

»Wenn wir weiter so langsam vorwärts kommen, brauchen wir zwei Tage für die Strecke«, stellte Bob fest. Justus und Peter antworteten nicht darauf, doch insgeheim befürchteten sie das Gleiche.

Hinter einer Flussbiegung entdeckten sie einen kleinen Unterschlupf aus Holz. Vorsichtig leuchtete Justus mit der Taschenlampe hinein. »Das sieht mir aus, wie ein Materiallager der Holzfäller. Hier liegen lauter Seile herum und weiter hinten stehen Axtstiele an der Wand.«

Wenige Schritte von dem Unterschlupf entfernt lagen aufgestapelte Holzstämme direkt am Fluss.

Peter rollte einen davon ins Wasser und beobachtete, wie er langsam von der Strömung fort getrieben wurde. »Na klar, an dieser Stelle werden die geschlagenen Stämme in den Rocky River geschmissen. Auf diese Weise wird das Holz ins Tal transportiert. Praktisch.«

Justus knetete seine Unterlippe. »Peter, das ist nicht nur praktisch, sondern genial. Wisst ihr, woran ich denke?«

»Natürlich!«, strahlte Bob. »Wir bauen uns ein Floß und dann ab ins Wasser. Das ist die einzige Möglichkeit, noch rechtzeitig unten anzukommen.«

In Windeseile hatten sie am Flussufer mehrere passende Holzstämme nebeneinander gelegt.

Justus lief zu dem Unterschlupf. »Ich hol uns ein paar Seile. Damit können wir dann die Stämme zusammenknoten.«

Er lief zu dem kleinen Holzverschlag und nahm eins der aufgewickelten Taue. Doch als er es anhob, bemerkte er darunter eine kleine Kiste. Justus konnte seinen Augen nicht trauen. »Kommt schnell alle her! Ihr glaubt nicht, was ich hier gefunden habe.«

Seine beiden Freunde rannten zu ihm. Justus krabbelte gerade rückwärts aus dem schmalen Eingang heraus. Das was er hinter sich herzog, verschlug auch den anderen die Sprache.

»Gold! Die ist ja bis oben hin voll Gold«, stotterte Peter. Lange Zeit starrten sie fassungslos auf das glänzende Metall.

Bob nahm als Erster einen der großen Goldnuggets in die Hand. »Ganz schön leicht für Gold«, stellte er fest. Als sie daraufhin an der Oberfläche kratzten, hatten sie Gewissheit. Es waren alles nur vergoldete Steinbrocken.

»Die Goldsteine von Josh McBrian«, stieß Justus hervor. »Ihr wisst doch noch. Mit einen Gramm kann man Esel und Reiter vergolden. Hier haben die Betrüger es also versteckt.«

Die drei Fragezeichen beschlossen, die Kiste als Beweismittel mit auf das Floß zu nehmen.

Die Holzstämme wurden mit dem Seil fest zusammengebunden und verknotet. Peter verschwand kurz im Wald und kam mit drei langen

Stöcken zurück. »Die können wir als Ruder benut-
zen.«

Es kostete anschließend viel Kraft, das selbst
gebaute Floß ins Wasser zu schieben. Zentimeter-
weise hebelten sie die schweren Stämme in den
Fluss.

»Hiermit taufe ich dich auf den Namen *Drei ??? 1*«,
verkündete Bob feierlich.

Die Kiste und die Rucksäcke wurden in der Mitte
des Floßes verstaut. Dann sprang einer nach dem
anderen auf die wackelige Konstruktion. Als Justus
an Bord ging, sank das Gefährt bedrohlich tief ein.
Mit den Stöcken stießen sie sich vom Ufer ab. Allmählich wurden sie von der Strömung gepackt und
nahmen Fahrt auf.

»Volle Kraft voraus!«, kommandierte Peter wie
ein Kapitän und spuckte gegen den Wind.

Wildwasserfahrt

Das Floß trieb gemächlich durch den ruhigen Rocky River. Mühelos zogen sie an riesigen Felsen und steilen Berghängen vorbei.

»Hauptsache, wir bleiben in der Flussmitte«, sagte Peter und hielt seinen Stock wie ein Ruder ins Wasser. An einigen Stellen ragten spitze Steine heraus.

»Wenn wir die Geschwindigkeit beibehalten, dann kommen wir noch rechtzeitig«, stellte Justus erleichtert fest.

Das Tempo steigerte sich sogar.

Kurz darauf rüttelten die ersten Stromschnellen an den Holzstämmen und kleine Wellen schlugen über das Floß. Mit aller Kraft versuchte Peter an gefährlichen Felsen vorbei zu lenken. »Vorsichtig, wir müssen weiter nach rechts!«, rief er nervös. »Zu spät! Haltet euch gut fest! Gleich rummst es.«

Das Floß wurde von der Strömung gegen einen

mächtigen Stein gedrückt und drohte zu kentern. Im letzten Moment gelang es den Dreien, sich mit den Stöcken abzustoßen.

»Geschafft«, schnaufte Bob und wischte das Spritzwasser von seiner Brille.

Doch unheilvolles Tosen kündigte die nächste Gefahr an. Justus nahm das Fernglas aus dem Rucksack und blickte flussabwärts.

»Ich kann es nicht genau erkennen, aber vor uns sieht es nicht gut aus. Das Wasser ist dort total aufgewühlt.«

Die Fahrt über den Rocky River wurde immer rasanter. Durch den starken Wellengang hatte sich einer der Holzstämme aus den Seilen gelöst und trieb davon.

»Wir müssen die Knoten nachziehen, sonst fällt das ganze Floß auseinander!«, brüllte Peter gegen die tobenden Wassermassen an.

In diesem Moment wurde Justus von einer großen Welle umgerissen, verlor das Fernglas und konnte sich gerade noch am losen Seil festhalten.

»Sofort an Land!«, schrie er verzweifelt. »Wir steuern direkt auf einen Wasserfall zu.«

»Ein Wasserfall?«, brüllten seine beiden Freunde entgeistert zurück. Panisch versuchte Peter aus der Strömung zu rudern und brach dabei seinen Stock ab. Das Floß bäumte sich auf und die Rucksäcke sowie die Kiste mit dem falschen Gold rutschten von Bord und versanken in den Fluten. Keinen der drei interessierte es.

Das Tosen des Wasserfalls entwickelte sich zu einem mächtigen Grollen. Unaufhaltsam trieben sie auf den Abgrund zu.

Aufgeregt zeigte Peter zur Seite. »Seht ihr den abgebrochenen Baum dort im Wasser? Das ist vielleicht unsere letzte Chance. Er scheint zwischen zwei Felsen verhakt zu sein.«

Noch einmal nahmen sie all ihre Kräfte zusammen und ruderten in die Richtung. Jetzt löste sich ein Holzstamm nach dem anderen aus den Seilen. In letzter Sekunde konnte Peter einen dicken Ast des Baumes greifen. »Schnell, haltet euch an mir fest!« Justus und Bob umklammerten jeder ein Bein von ihm.

Die Situation war aussichtslos. Lange konnte sich Peter nicht mehr am Ast festkrallen. Aus der Ferne hörte man, wie die dicken Stämme aus dem einstigen Floß den Wasserfall herunter donnerten. Die Kälte des Wassers raubte ihnen endgültig die Kraft.

Plötzlich vernahmen sie einen langen Hupton.

»Was war das?«, prustete Bob und verschluckte sich. Das Hupen kam direkt vom Ufer. Peter konnte es als Einziger erkennen. »Es ist Rod Dunken!«, schrie er begeistert. »Er steht neben seinem Geländewagen und winkt mit einem Seil. Wir sind gerettet.«

Aber die Rettung war nicht so einfach. Immer wieder warf ihnen der Ranger das Seil zu — doch keiner konnte es packen. Erst beim fünften Versuch gelang es Bob, das nasse Tau mit den Füßen einzuklemmen und nach vorn weiter zu reichen. Peter wickelte es sofort um seinen Oberkörper. Dann verließen ihn die Kräfte und seine Hand rutschte vom Ast. Justus und Bob klammerten sich verzweifelt an ihn.

Endlich spürten die drei, wie das Seil stramm gezogen wurde. Der Ranger hatte an seinem Geländewagen eine Motorwinde, mit der er das Tau aufwickeln konnte.

Völlig atemlos erreichten sie das Ufer und fielen erschöpft in den Sand. Noch immer krallten sich Justus' und Bobs Hände an Peters Beinen fest. »Ich glaube, ich bin zehn Zentimeter länger geworden«, grinste er mühsam.

Rod Dunken schüttelte den Kopf. »Nun erzählt mir mal, wer von euch die verrückte Idee hatte, vor dem einzigen Wasserfall des Rocky River baden zu gehen! Wäre ich nicht zufällig auf meiner Patrouille hier vorbei gekommen... ich mag gar nicht daran denken.«

Aufgeregt berichteten die drei Detektive von ihren Nachforschungen.

Der Ranger war fassungslos. »Ich kann es kaum glauben. Die Sutter Brüder kenne ich seit Jahren. Na ja, dieser McBrian kam mir manchmal schon merkwürdig vor. Oft erzählte er so ein verrücktes Zeug. Ich habe mir nie was dabei gedacht. Aber im Nachhinein....«

Nachdenklich kratzte sich der Ranger am Kopf. »Gut, als Erstes steigt ihr in den Wagen und trocknet euch ab. Hinten liegen noch ein paar Decken. Wir müssen so schnell wie möglich zu den Goldsuchern fahren. In genau einer Stunde sollen die wertlosen Schürfrechte verkauft werden.«

Rausgefischt

Der Weg führte durch sehr unebenes Gelände ins Tal und die drei wurden auf den Sitzen kräftig durchgeschüttelt. Rod Dunken reichte ihnen eine Plastikdose nach hinten. »Hier, ihr könnt mein Mittagessen haben — ihr seht ja völlig verhungert aus.« Gierig machten sie sich über Käsebrote und ein Hühnerbein her.

Eingewickelt in warme Wolldecken wich allmählich die Kälte aus ihren Körpern. Durch die feuchte Kleidung beschlugen die hinteren Autoscheiben so sehr, dass man nicht mehr hindurch blicken konnte. Die drei ??? hatten für die nächste Zeit sowieso genug Wald gesehen.

Nach wenigen Kilometern stoppte Rod Dunken den Wagen. »So, da wären wir. Ich denke, gleich werden einige Leute sehr überrascht sein.

»Das glaube ich auch«, grinste Peter und öffnete gespannt die Tür.

Zu seinem Erstaunen standen sie jedoch direkt

vor einer einsamen Holzhütte. Aus dem Schornstein stieg Rauch auf.

Langsam drehte sich der Ranger zu ihnen nach hinten. »Na, erkennt ihr die Behausung? Ich sagte doch, dass gleich einige Leute überrascht sein würden.«

Der Mann konnte sein Lachen kaum verbergen. »He, Digger, Jack und John! Kommt mal raus! Ich hab ein paar merkwürdige Vögel aus dem Fluss gefischt.«

Die Tür der Hütte wurde aufgestoßen und Josh McBrian trat mit den Sutterbrüdern heraus. Geschockt sackten die drei ??? in den Sitzen zusammen.

»Ach ne«, grinste McBrian sie an. »Die Lausebengels… Solltet ihr nicht brav oben in der Holzbude abwarten, bis wir in Acapulco am Strand sitzen, hä?« Er zog Peter dicht an sich heran und schrie ihm ins Gesicht. »Habt ihr nichts Besseres zu tun, als fleißigen Holzfällern den verdienten Lebensabend zu versauen? Was sollen wir jetzt mit euch machen? Warum steckt ihr eure neugierigen Nasen in Dinge, die euch nichts angehen?«

Rod Dunken nickte beifällig. »Ich hätte die Schnüffler vielleicht im Rocky River ersaufen lassen sollen. Das hätte uns jetzt eine Menge Ärger erspart.«

Dann wurden die drei aus dem Wagen gezerrt und landeten wieder auf den Luftmatratzen in der Hütte. Sie waren genauso weit wie vorher.

Die Männer verzogen sich in die andere Ecke des Raumes und tuschelten leise miteinander.

Noch immer konnten die drei Detektive kaum begreifen, was mit ihnen geschehen war.

»Wahnsinn, der Ranger steckt mit den Typen unter einer Decke«, stammelte Bob benommen.

Vor der Tür standen vier große Koffer.

»Seht mal!«, flüsterte Justus. »Die haben alles vorbereitet, um wahrscheinlich heute noch das Land zu verlassen.«

Plötzlich drehte sich McBrian um. »Was gibt es da zu quatschen? Langsam reißt mir der Geduldsfaden. Ich sage euch nun genau, wie es weiter geht. Und wehe, ihr kommt uns noch einmal in die Quere und vermasselt uns die Tour. Also, ihr werdet jetzt vom Ranger fachmännisch gefesselt und so lange von John bewacht, bis wir die Nummer mit den bekloppten Goldsuchern durchgezogen haben. John, du lässt die Gören nicht einen Moment aus den Augen, hast du verstanden? In genau zwei Stunden haben wir das Geld von den Idioten unten am Fluss eingesammelt. Dann kommst du mit dem Jeep zum Flughafen nach — die Flugtickets habe ich. Die drei Schnüffler werden sich schon allein befreien können — bis dahin liegen wir längst am Strand von Acapulco.«

Rod Dunken fesselte den drei ??? die Hände auf dem Rücken zusammen. Anschließend nahmen alle außer John Sutter einen Koffer und verschwanden durch die Tür. Sekunden später hörte man den Geländewagen davon fahren.

Völlig entmutigt ließen die Detektive die Köpfe

hängen. Es gab jetzt keine Chance mehr die Verbrecher aufzuhalten.

John Sutter saß auf seinem Koffer und hielt drohend eine Axt in der Hand. »Macht bloß keine Dummheiten«, murmelte er nervös.

Hätte Justus eine Hand frei, würde er an seiner Unterlippe kneten. Unablässig sah er dem Holzfäller in die Augen. Nach einer Weile schien dieser dem Blick nicht mehr stand zu halten, nahm ein Buch aus dem Regal und versteckte sein Gesicht dahinter.

Justus sah sich nun unbeobachtet im Raum um. Anscheinend wurden die Koffer in großer Eile gepackt. Überall lagen Kleidungsstücke, Zettel und sonstige Dinge auf dem Boden verstreut. Die Betrüger hatten nur das Nötigste eingepackt. Vorsichtig zog Justus mit dem Fuß eins der bedruckten Papiere näher. Plötzlich erhellte sich sein Gesicht.

»Mister Sutter, glauben Sie wirklich, dass die anderen auf Sie warten werden?« Peter und Bob konnten nicht fassen, was sie da hörten.

Falschgold

John Sutter schien ebenso verwirrt. »Was sagst du da, Bengel?«

Justus blickte ihn weiter unverwandt an. »Wenn Sie am Flugplatz ankommen, sind Ihre Freunde schon über alle Berge — das ist doch klar.«

Der Mann schmiss das Buch zur Seite und sprang von seinem Koffer auf. »Wenn du nicht gleich deine Klappe hältst, dann... dann...«

Justus nahm ihm das Wort aus dem Mund. »Was dann? Bisher haben Sie sich ja noch nicht großartig strafbar gemacht. Tun Sie nichts, was Sie später bereuen werden. Sie werden sowieso der Einzige sein, der ins Gefängnis geht.«

Verwirrt legte der Holzfäller die Axt aus der Hand. »Was erzählst du für komisches Zeug?«

Justus Jonas wartete eine Weile mit seiner Antwort. »Werfen Sie doch mal einen Blick auf diesen Zettel an meinen Füßen. Dann wird Ihnen ein Licht aufgehen.«

Zögernd näherte sich John Sutter dem Papier auf dem Boden. »Was ist das für ein Zettel?«

»Sieht man doch, das ist eine Flugbestätigung vom Reisebüro.«

»Ja, und? Das seh ich auch«, unterbrach ihn der Mann hektisch.

Justus ließ sich nicht beirren. »Merkwürdig ist nur, was genau bestätigt wird. Ich lese hier schwarz auf weiß: Los Angeles nach Acapulco, drei Personen. Ich frage mich, wieso nur drei?«

John Sutter stand jetzt direkt neben ihm. »Bist du dir da sicher?«, fragte er völlig irritiert. Justus schob ihm mit dem Fuß den Zettel entgegen. »Lesen Sie doch selbst!«

John Sutters Hände begannen zu zittern. Über eine Minute stand er regungslos da und glotzte ratlos auf das Papier. Plötzlich holte er tief Luft und stammelte: »Du hast Recht, da steht es geschrieben. Diese Schweine... Die wollen ohne mich abhauen... Das war McBrians Idee... Jack würde das niemals tun...«

Justus lehnte sich gelassen zurück. »Schöne Freunde haben Sie. In wenigen Stunden liegen die am Strand und Sie sitzen im Knast. Wenn Sie schlau sind, setzen Sie sich ins Auto und fahren zum Flughafen. Noch ist nichts verloren.«

John Sutter ballte die Fäuste und trat wütend gegen einen Stuhl. Dann nahm er seinen Koffer und rannte wortlos hinaus. Mit durchdrehenden Reifen hörte man den Jeep davon rasen.

»Na bitte«, strahlte Justus.

Ungläubig betrachteten ihn seine beiden Freunde.

»Ich versteh überhaupt nichts mehr«, staunte Peter und sah verständnislos auf den Zettel. »Das ist keine Flugbestätigung, sondern eine Rechnung für eine Autoreparatur.«

»Justus stand auf und suchte den Tisch nach einem Küchenmesser ab. »Das ist ganz einfach zu verstehen. John Sutter kann überhaupt nicht lesen. Entweder musste er mir jedes Wort glauben, oder zugeben, dass er Analphabet ist.«

»Und woher wusstest du das?«, fragte Bob verwirrt.

»Sutter hat sich selbst verraten. Er hat das Buch vorhin verkehrt herum gehalten.«

In einer Schublade fand Justus ein Messer und befreite damit seine beiden Freunde. Anschließend wurden seine Fesseln aufgeschnitten.

In wenigen Minuten sollte der Verkauf der Schürfrechte beginnen. Zu Fuß würden sie die Strecke niemals schaffen. Ratlos liefen sie in der Hütte auf und ab.

Peter hatte den rettenden Einfall.

»Wir nehmen die Luftmatratzen! Nur wenn wir

uns von der Strömung treiben lassen, kommen wir noch rechtzeitig. Zwar haben wir mit dem Rocky River schlechte Erfahrungen gemacht — aber laut Rod Dunken soll es hier unten keine Wasserfälle mehr geben.«

Die Sorge, dass Titus Jonas sein gesamtes Vermögen los werden könnte, vertrieb schließlich alle Bedenken.

Wenig später rannten sie mit den drei Luftmatratzen aus der Holzhütte zum Fluss herunter. Nacheinander stürzten sie sich in die Fluten.

Die Strömung war stark, aber keineswegs mehr so gefährlich wie zuvor. In Windeseile zogen sie vorbei an glatt geschwungenen Felsen und krummen Bäumen, die sich über das Wasser neigten. Die Strecke über Land hätte die zehnfache Zeit gekostet.

Hinter einer sanften Flussbiegung erkannten sie die Dredge von Onkel Titus.

»Wir haben es geschafft. Das ist die Titus 1!«, rief Bob aufgeregt und kraulte noch schneller mit den Armen.

Der Strand war menschenleer. Überall waren Zelte und kleine Buden aufgebaut, doch niemand war zu sehen.

Die drei ??? schwammen auf den Matratzen an Land und hatten wieder festen Boden unter den Füßen. Peter presste den Zeigefinger auf seine Lippen. »Still! Hört ihr das? Von oben kommen lauter Stimmen.«

Vorsichtig erklommen sie die steile Böschung und spähten durch das dichte Gebüsch. Direkt vor ihnen parkte der Geländewagen der Betrüger. Justus stellte sich auf die Zehenspitzen.

»Da! Dort hinten steht der Ranger mit McBrian und Jack Sutter auf einem großen Podest. Und ganz vorn in der ersten Reihe sehe ich Onkel Titus. Bestimmt hat er die Taschen voller Geld — hoffentlich noch.«

Sie beschlossen, dichter an das Geschehen heran zu schleichen. Unbemerkt kletterte Bob zuvor in den Geländewagen und folgte anschließend seinen beiden Freunden.

Nun konnten sie genau verstehen, was auf dem Podest gesprochen wurde.

Rod Dunken hielt einen großen Stapel Zettel in der Hand. »So, meine Herren, ich glaube, ich habe soweit alles erklärt. Ich werde nun, Kraft meines Amtes als Ranger des Staates Kalifornien, die Schürfrechte im Auftrage der Familie Sutter rechtskräftig vergeben. Gezahlt wird nur in bar, Schecks werden nicht akzeptiert. Bitte stellen Sie sich in einer Reihe an, wenn Sie eine oder mehrere der Urkunden erwerben wollen.«

Onkel Titus hob aufgeregt beide Arme und wedelte mit einem dicken Bündel Banknoten. »Und ob wir das wollen!«, rief er begeistert. Alle anderen Goldsucher jubelten mit.

Justus stieß Peter und Bob in die Seite. »Okay, jetzt oder nie.« Gleichzeitig sprangen sie auf, rannten los und erklommen das Podest.

»Kaufen Sie nichts! Hier oben in den Bergen gibt es nicht einen Krümel Gold!«, schrie Justus so laut er konnte. Sofort wurde er von Josh McBrian gepackt.

»Lassen Sie meinen Neffen los!«, brüllte Onkel Titus empört und drängelte zum Podest.

»Ich bitte Sie, es war nur ein Reflex. Ich weiß gar nicht, was der kleine Mann von uns will.«

Jetzt stellten sich Bob und Peter nach vorn und berichteten abwechselnd von dem großen Betrug. Immer lauter begann die Menge zu tuscheln.

McBrian startete einen letzten Versuch. »Lächerlich, die Beschuldigungen sind einfach lächerlich. Ich selbst habe doch die großen Goldnuggets gesehen. Wir alle haben sie gesehen. Die Kinder haben nicht den geringsten Beweis.«

Justus griff in seine Hosentasche und zog den vergoldeten Stein heraus, den ihm McBrian damals zugeworfen hatte. »Dies hier ist der Beweis«, strahlte er und schleuderte das falsche Gold gegen einen Felsen. Der vermeintliche Nugget zersprang in große Stücke.

»Betrüger!«, hörte man die Ersten rufen.

In diesem Moment sprangen McBrian, der Ranger und Jack Sutter vom Podest und rannten unbehelligt zum Geländewagen.

»Hinterher!«, schrie die Menge.

Als Rod Dunken die Tür des Wagens zuschlug, hielt Bob lässig einen Autoschlüssel in die Luft. »Keine Angst, die kommen nicht weit ohne diesen hier«, grinste er.

Der Goldrausch in Rocky Beach war damit genauso schnell beendet, wie er begonnen hatte.

Auch John Sutter wurde kurze Zeit später auf dem Flughafen festgenommen und zusammen mit seinem Bruder, Josh McBrian und Rod Dunken dem Haftrichter vorgeführt.

Am nächsten Tag holte Onkel Titus gemeinsam mit den drei Detektiven und Tante Mathilda seine Dredge aus dem Rocky River. »Eigentlich schade«, seufzte er. »Ein paar Millionen in Gold hätte ich zu meinem Glück noch gut gebrauchen können.«

Daraufhin nahm ihn Tante Mathilda in den Arm. »Für dein Glück brauchst du nicht einen Nugget«, lachte sie und küsste ihn wie einen kleinen Jungen auf die Stirn.